SUPPLEMENTARY MATERIALS TO ACCOMPANY

EXPERIENCE
SPANISH
Un mundo sin límites

Sharon Foerster & Jean Miller

WITH ADDITIONAL MATERIALS BY
RENÉ VACCHIO ALBEE

Supplementary materials to accompany
Experience Spanish: Un mundo sin límites
With Additional Materials by René Vacchio Albee

 8 9 0 SCI SCI 18 17

ISBN-13: 978-1-259-57161-9
ISBN-10: 1-259-57161-0

Learning Solutions Contact: Judith Wetherington
Production Manager: Carrie Braun
Cover Photo Credits: © 2011 JupiterImages Corporation

ACKNOWLEDGMENTS

The authors are grateful to Judy Wetherington, the Senior Solutions Manager, whose support and encouragement throughout the years have helped make all the versions of *Supplementary Materials* a success. And a special thanks to the Foerster and Christensen families for their help and support during the preparation of this edition.

Pages 4, 23, 49, 104, 222 from M. Knorre, T. Dorwick, et al., *Puntos de Partida: An Invitation to Spanish*, 7/e, Copyright 2005 by McGraw-Hill, Inc., New York, pp. 43, 163, 49, 108, 263, 49. Reprinted by permission of the publisher.

Pages 65, 138 from R. Davis, H. J. Siskin, A. Ramos, Entrevistas: *An Introduction to Language and Culture*, Copyright 2000 by McGraw-Hill, Inc., New York, pp. 230, 230. Reprinted by permission of the publisher.

Pages 69, 88, 95, 110, 111, 118, 193, 195, 205, 232 from M. Knorre, T. Dorwick, et al., *Puntos de Partida: An Invitation to Spanish*, 4/e, Copyright 1993 by McGraw-Hill, Inc., New York, pp. 64, 150, 171, 204, 172, 204, 233, 349, 50, 302, 267, 270, 275, 367, 372, 226, 351, 341, 499. Reprinted by permission of the publisher.

Pages 4, 49, 70–131, 90, 95, 104, 205 from M. Knorre, T. Dorwick, et al., *Puntos de Partida: An Invitation to Spanish*, 5/e, Copyright 1997 by McGraw-Hill, Inc., New York, pp. 18, 51, 140, 92, 142, 508, 166, 275, 253, 105, 354, 329, 430. Reprinted by permission of the publisher.

Pages 42, 71, 96, 151 from M. Sabló-Yates, *Laboratory Manual to Accompany Puntos de Partida*, 7/e, Copyright 2005 by McGraw-Hill, Inc., New York, pp. 36, 55, 87, 66, 69, 107. Reprinted by permission of the publisher.

Page 270 from T. Terrell, M. Andrade, et al., *Dos Mundos*, 5/e, Copyright 2002 by McGraw-Hill, Inc., New York, pp. 37, 442, 386, 244, 386, 377. Reprinted by permission of the publisher.

Page 53 Courtesy of Karina Collentine.

Pages 85, 86, 161, 185 from M.A. Marks, R. J. Blake, *Al corriente: curso intermediario de español*, Copyright 1989 by McGraw-Hill, Inc., New York, pp. 5, 106, 7, 8. Reprinted by permission of the publisher.

Pages 30, 41, 107, 130, 133, 186, 188, 204, 216, 254, 274 from M. C. Dominicis, *Escenas cotidianas*, Copyright 1983 by McGraw-Hill, Inc., New York, pp. 50, 42, 90, 26, 154, 146, 34, 202, 90, 18, 202, 122. Reprinted by permission of the publisher.

Pages 186, 149, 256 from M. L. Bretz, T. Dvorak, and C. Kershner, *Pasajes: Lengua*, 4/e, Copyright 1996 by Random House, Inc., New York, pp. 248, 234, 128, 293, 26. Reprinted by permission of the publisher.

Pages 9, 267 from A. Arana, O. Arana, *Workbook to Accompany Puntos de Partida*, 4/e, Copyright 1993 by McGraw-Hill, Inc., New York, pp. 67, 128, 236. Reprinted by permission of the publisher.

Page 8 from M. Knorre, T. Dorwick, et al., *Instructor's Resource Kit to Accompany Puntos de Partida*, Copyright 1989 by McGraw-Hill, Inc., New York, pp. 6, 7, 242. Reprinted by permission of the publisher.

Page 71 Courtesy of Barbara Sawhill.

Pages 37, 97, 145–146 from A. Arana, O. Arana, *Workbook to Accompany Puntos de Partida*, 7/e, Copyright 2005 by McGraw-Hill, Inc., New York, pp. 18, 43, 212. Reprinted by permission of the publisher.

ÍNDICE

CAPÍTULO
1

Communicative Goals for Chapter 1
By the end of the chapter you should be able to:

- meet and greet others ❑
- identify a person's nationality ❑
- count to 30 and do simple math ❑
- describe yourself and others ❑
- tell what belongs to you and others ❑
- get information by asking questions ❑
- discuss your schedule, courses, professors ❑
- talk about your college or university ❑
- talk about activities you do on campus ❑
- tell time ❑

Grammatical Structures
You should know:

- *hay* ❑
- articles ❑
- subject pronouns ❑
- *ser* ❑
- agreement of adjectives ❑
- placement of adjectives ❑
- question words ❑
- present tense of regular –ar verbs ❑

PRONUNCIACIÓN

A. Spanish vowels are easier and more dependable than English vowels. Memorize this poem and use it to remind yourself how to pronounce Spanish vowels.

A E I O U
Arbolito de Perú
¿Cómo te llamas tú?

B. Practice the following sentences out loud:

A Ana va a la Argentina mañana.
E Elena no escribe en español.
I Ignacio es ideal para ir a Iguazú.
O Hay una oportunidad en la oficina de Octavio.
U Marilú y Luis son uruguayos.

1. El hipopótamo es enorme.
2. El elefante es grande.
3. La rosa es rosada.
4. El teléfono es importante.
5. Antonio es inteligente.
6. María es tímida.
7. Enrique Iglesias es famoso.

C. Practice the following out loud.

A: las matemáticas--Marta--Marta estudia las matemáticas.--cifras--Hay cifras.--Hay cifras sin parar.--la calculadora--sumar--La calculadora suma.--La estadística--Ana--Ana necesita estudiar la estadística.

E: Eliseo--Mérida--Eliseo es de Mérida, México--estudia--ciencias--Estudia ciencias en los Estados Unidos.--le encantan (*he loves*)--las ciencias geológicas--A Eliseo le encantan las ciencias geológicas.

I: La química--la química y la física--La química y la física son ciencias.--Inés--le interesa--A Inés le interesa la ingeniería.--Iñigo Irizarry--Iñigo Irizarry es ingeniero.--Es un ingeniero inteligente.

O: Begoña--español--Begoña enseña español.--a las once--Begoña enseña español a las once todos los días.--Obligatorio--Es una clase obligatoria.--Sus horas de oficina--Sus horas de oficina son a las once y a las dos los miércoles.

U: La universidad--la universidad pública--A Lupe le gusta (*likes*) la universidad pública.--La universidad pública es muy popular.--Hugo--Hugo estudia humanidades.--A Hugo le gustan sus cursos universitarios.

A   Panamá--ciudad--Caracas--capital--Caracas es la capital--
    Caracas es la capital de Venezuela--España--Madrid--
    Madrid es la capital de España--Islas--Islas Canarias--
    Nicaragua--Managua--Managua es la capital de Nicaragua--
    Guatemala--La Paz--Portugal--Salamanca

E   México--Monterrey--Monterrey está--Monterrey está en
    México--Venezuela--Cartagena--Belize--Ecuador--
    Palenque--América--Barcelona--Sevilla--Sevilla está--
    Sevilla está en España.

I   Islas--Lima--Lima es la capital--Lima es la capital del Perú--
    Quito--Quito es la capital del Ecuador--Bolivia--Bolivia
    está--Bolivia está en América Latina--país--Brasil--Brasil es
    un país--Chile--Potosí--Potosí está en Bolivia--Rico--Puerto
    Rico está en el Caribe.

O   Colombia--Bogotá--Bogotá es la capital de Colombia--
    Orinoco--Costa--Costa Rica--San José es la capital de Costa
    Rica--Ecuador--Andorra--Andorra está al norte de España--
    Honduras--Copán--Copán está en Honduras--Domingo--
    Santo Domingo--Toledo

U   Acapulco--Cancún--península--Yucatán--Cancún está--
    Cancún está en la península de Yucatán--Cuba--República--
    Perú--Cuzco--Cuzco está en el Perú--Machu Picchu--
    Uruguay--Cataluña--Honduras

PRÁCTICA: Las nacionalidades

Complete the table with the answers to the three questions below.

	¿De dónde es?	¿Qué nacionalidad es?
1	Jorge es de Chile.	
2		María es cubana.
3		Ramón es español.
4	Magdalena es de Guatemala.	
5		Juan Pablo es mexicano.
6	Juanita es de Bolivia.	

¿Cierto o falso? Correct the false statements, using the map below.

1. Mercedes es de Asunción.
   Es uruguaya. _____

2. José Carlos es de Buenos Aires.
   Es argentino. _____

3. Maricarmen es de Quito.
   Es peruana. _____

4. Paco y Pepe son de Bogotá.
   Son venezolanos. _____

5. Las hermanas Ramos son de Santiago.
   Son chilenas. _____

6. Lola es de Caracas.
   Es venezolana. _____

7. Enrique y Adriana son de Montevideo.
   Son argentinos. _____

8. Gilberto es de Lima.
   Es peruano. _____

COGNATES: PRONUNCIATION PRACTICE

Working with a partner, create ten combinations using words from the three noun lists and combining them with a word from the adjective list. Five of your combinations should be logical and five should be funny or "combinaciones locas." Note that adjectives generally follow nouns.

Ejemplos: la clase maravillosa, el cocodrilo delicioso

LUGARES:

el apartamento	el océano	la clase
el banco	la universidad	la región
el museo	la comunidad	el club
la refinería	el ecuador	la nación
la estación	el parque	el restaurante
el garaje	la oficina	el gimnasio

ANIMALES:

el elefante	el cocodrilo	el hipopótamo
la serpiente	el tigre	el ratón
el león	el gato	

COSAS:

la línea	la bicicleta	el teléfono
la cámara	el documento	el artículo
la radio	la lista	la computadora
la fotografía	el texto	la planta

ADJETIVOS:

fabuloso	estupendo	desastroso
estúpido	curioso	furioso
delicioso	popular	magnífico
fantástico	religioso	emocional
nervioso	sentimental	maravilloso

1. _____
2. _____
3. _____
4. _____
5. _____

6. _____
7. _____
8. _____
9. _____
10. _____

LISTENING COMPREHENSION

You will hear a passage about Roberto and Luis. The first time, listen for the answers to the Cierto/Falso statements below. The second time, listen for the answers to the short-answer questions.

¿Cierto o falso?

1. Los dos amigos son estudiantes.

2. Uno de los amigos habla muchas lenguas.

3. Luis no trabaja porque es estudiante.

4. Están (*They are*) contentos en la universidad porque las librerías son buenas.

Preguntas. Answer with short Spanish sentences.

1. ¿Cómo se llaman los dos amigos?

2. ¿Estudian los dos?

3. ¿Dónde trabaja Luis?

4. ¿Por qué trabaja Luis?

You will hear a short passage about Ramón and María. Listen for the answers to the Cierto/Falso statements below.

¿Cierto o falso?

1. Ramón y María son estudiantes.

2. Estudian en Buenos Aires.

3. Son de la Argentina.

4. Estudian por la mañana.

5. Corren (*They run*) en el Parque Retiro con frecuencia.

6. Allí compran muchas cosas interesantes.

PRÁCTICA: LOS ARTÍCULOS DEFINIDOS E INDEFINIDOS

Complete each sentence with the correct definite or indefinite article, according to the context.

los artículos definidos

el	la
los	las

los artículos indefinidos

un	una
unos	unas

1. Hay _____ diccionarios españoles en _____ Biblioteca Internacional.

2. _____ exámenes de _____ estudiantes están (*are*) en _____ mesa de _____ profesora Bonilla.

3. _____ programa de música clásica es en _____ teatro de _____ universidad, mañana por _____ tarde.

4. En _____ librería, hay _____ lápices especiales y _____ cuadernos grandes para _____ clase de arte.

5. _____ oficina de _____ profesora Méndez está (*is*) en _____ Departamento de Lenguas. _____ número de teléfono es 381-0047.

6. Hay _____ problemas graves con _____ programas de computadoras en _____ laboratorio de lenguas.

7. _____ director del Centro Internacional está aquí todos _____ días a _____ dos de _____ tarde.

8. Hay _____ clase de computación por _____ noche.

9. _____ estudiantes de _____ clase de inglés desean hablar con _____ consejera ahora.

10. _____ problema con _____ universidad es que es muy grande.

11. Todos _____ estudiantes necesitan pagar _____ matrícula (*tuition*) hoy, antes de _____ seis de _____ tarde.

12. En _____ mochila del estudiante nuevo, hay _____ papeles, _____ lápices, _____ calculadora y _____ mapa (*masc.*) de _____ universidad.

PRÁCTICA: Descripciones y preguntas

Describe each person, give his/her nationality, and then write three questions you might ask that person. Try to include one question starting with *¿Con qué frecuencia...?*

> Palabras interrogativas:
> *¿Qué?   ¿Cómo?   ¿Cuándo?   ¿Dónde?   ¿Quién?   ¿Cuánto?   ¿A qué hora?   ¿Por qué?*

Modelo: Nina es alta, morena y delgada.
                Es peruana y tiene veintiún años.

1. Nina, ¿qué lees (*are you reading*)?
2. ¿Con qué frecuencia estudias en la biblioteca?
3. ¿Sacas buenas notas?

PRÁCTICA: Los posesivos

Complete the passages with the correct form of the possessive adjectives indicated in parentheses.

Un regalo apropiado

Los Sres. Osorio buscan un regalo para (1. *their*) _____ hijo Héctor, porque es (2. *his*) _____ cumpleaños el sábado. La Sra. Osorio cree que (*believes that*) Héctor necesita una mascota (*pet*), y como (3. *his*) _____ animales favoritos son los perros, ella desea comprarle un pastor alemán (*German shepherd*). El Sr. Osorio dice (*says*): "(4. *My*) _____ amor, Héctor no es muy responsable. Además, (5. *your*) _____ mamá y (6. *his*) _____ tíos tienen (*have*) mascotas y vivimos cerca de (*we live close to*) ellos. Prefiero buscar un regalo más útil (*useful*) para (7. *our*) _____ hijo". Por eso, los Osorio van a la tienda (*go to the store*) de (8. *their*) _____ amigo, don Alfredo, y compran una computadora para Héctor.

Una familia grande

¿Cómo es (1. *your*) _____ familia? En (2. *my*) _____ familia, hay muchas personas. Para empezar (*to begin*), (3. *my*) _____ abuelos paternos tienen (*have*) seis hijos. (4. *Their*) _____ hijos se llaman José María, Laura, Victoria, Mateo, Blanca y Arturo. (5. *My*) _____ padre es Arturo, el hijo menor. Nosotros vivimos en Chicago, pero todos (6. *our*) _____ tíos y primos viven (*live*) en Oklahoma.

La familia de mamá es bastante grande también (*also*). (7. *My*) _____ mamá es de Guadalajara, México, y (8. *her*) _____ tres hermanas viven allí. También viven allí (9. *her*) _____ padres, (10. *my*) _____ abuelos maternos. La abuela piensa que (*thinks that*) (11. *her*) _____ hija necesita regresar a México para vivir, pero a mamá le gusta (*likes*) (12. *her*) _____ vida aquí. Pero vamos a (*we go to*) Guadalajara todos los años para visitar a todos (13. *our*) _____ parientes allí. En Guadalajara, nos quedamos (*we stay*) con (14. *my*) _____ tíos Enrique y Teresita o con (15. *my*) _____ abuelos. (16. *Their*) _____ casas son relativamente grandes, y hay lugar para todos.

PRÁCTICA: PREGUNTAS Y RESPUESTAS I

Some students are talking about classes and the new semester. Complete each conversation with the correct question word: **¿cómo? ¿dónde?,** or **¿qué?**

Laura: ¿ _____ es tu clase de español?
David: ¡Es fabulosa! Es mi clase favorita.

Anita: ¿ _____ es la orientación para nuevos estudiantes?
Tomás: Es en el auditorio Rubén Darío.

Sonia: ¿ A _____ hora es la fiesta?
Pablo: Es a las ocho de la noche.

Laura: ¿ _____ es el profesor de ciencias?
David: Es muy inteligente pero un poco nervioso.

Rubén: ¿ _____ se llama tu libro de texto?
Elisa: El libro se llama *Experience Spanish.*

Diego: ¿ De _____ eres?
Anita: Soy de Venezuela. ¿Y tú?

Laura: ¿ _____ hay en el centro estudiantil (*student union*)?
Sonia: Hay de todo... una cafetería, una librería, un banco...

Pablo: ¿ _____ está (*is*) el profesor ahora?
Marta: Está en la oficina.

Marta: ¿ _____ te llamas?
David: Me llamo David Ramos. ¿Y tú?

Juana: ¿ _____ hora es?
Julio: Son las diez y cinco.

Anita: Hola, Elisa. ¿ _____ estás hoy?
Elisa: Muy bien, gracias. ¿Y tú?

PRÁCTICA: PREGUNTAS Y RESPUESTAS II

Create a logical question for each answer below.

Modelo: ¿Dónde está la profesora Guzmán ahora?
La profe está en la oficina ahora.

1. _____

   Estudio química, literatura, español y filosofía.

2. _____

   Cuando desea ropa navega en Internet y compra ropa en Internet.

3. _____

   Desayunamos en la cafetería a las 8 de la mañana.

4. _____

   Beatriz y Lourdes hablan español.

5. _____

   Mi papá es bajo, moreno y muy divertido.

6. _____

   Lavo la ropa los domingos.

7. _____

   Mis clases favoritas son el español y la sicología.

8. _____

   Deseo charlar en español con mis amigos españoles y salvadoreños.

9. _____

   Roberto compra los libros de texto en Barnes & Noble.

10. _____

   Necesito comprar 7 libros este semestre.

11. _____

   Soy alta, pelirroja y perezosa.

PRÁCTICA: FORMAS PLURALES

Change the sentences to the plural following the model.

Modelo: Ella busca la oficina de la profesora.
Ellas buscan las oficinas de las profesoras.

1. Hay un bolígrafo nuevo en el escritorio.

2. Yo deseo vender (*to sell*) mi mochila roja.

3. La profesora busca un lápiz y un diccionario.

4. En la clase, hay una ventana.

5. El secretario boliviano trabaja en una oficina pequeña.

6. El muchacho escucha música y charla por teléfono.

7. Yo estudio porque deseo hablar otra lengua.

8. La estudiante española toma una clase con el profesor divertido.

PRESENT TENSE OF –AR VERBS

andar	escuchar	practicar
bailar	lavar	regresar
buscar	llamar	sacar
cenar	mirar	terminar
charlar	navegar	tocar
comprar	pagar	tomar
desear	pasar tiempo	trabajar

Complete the sentences with a logical verb, correctly conjugated for the subject given. All words can be used at least once.

En la universidad

1. _____ (nosotros) apuntes en la clase para aprender mucho.
2. La profesora Ybarra no _____ en bicicleta ya que es muy difícil.
3. Cuando mis clases _____ por la tarde, _____ con mis amigos.
4. Elena _____ a la biblioteca para estudiar más.
5. Los estudiantes _____ buenas notas en la clase de español.

En el café

6. Jorge y Pedro _____ tomar más café ya que les gusta mucho el café.
7. Patricia _____ la guitarra y el violín pero no le gusta el cello.
8. Yo _____ el español con mis amigos argentinos.
9. Mi novio (boyfriend) y yo _____ la televisión por la noche pero no por la tarde.
10. Paco _____ en internet con frecuencia para buscar una amiga.

En la librería

11. Sara _____ un diccionario de español e inglés para la clase de español.
12. Raúl _____ un cuaderno y una calculadora para la clase de matemáticas.
13. ¿ _____ tus libros con cheque o con tarjeta de crédito?
14. Los empleados no _____ muchas horas hoy.
15. Los clientes _____ con el empleado.

En la residencia

16. Nuria _____ con una compañera de cuarto.
17. Tomás _____ música en la compu(tadora).
18. Yoly _____ a su mamá por teléfono o por Skype.
19. Ale y yo _____ la ropa.
20. Tú _____ en la cafetería a las 9 de la noche.

PRÁCTICA: LA HORA Y LOS SALUDOS

Use the clocks shown and the greetings below to answer the questions.

<u>Los saludos</u>: Buenos días   Buenas tardes   Buenas noches

¿Qué hora es en Madrid? _____

¿Qué saludo usas? _____

¿Qué hora es en Buenos Aires? _____

¿Qué saludo usas? _____

¿Qué hora es en San Francisco? _____

¿Qué saludo usas? _____

¿Qué hora es en Nueva York? _____

¿Qué saludo usas? _____

En este momento, ¿qué hora es? _____

¿Qué hora es en Madrid? _____

¿Qué saludo usas en Madrid en este momento? _____

REPASO: CAPÍTULO 1

I. <u>Los artículos</u>

	(definido)		(indefinido)
_____	profesor	_____	hombre
_____	mujer	_____	oficina
_____	libro	_____	tarde
_____	problema	_____	profesores
_____	clases	_____	días
_____	noches	_____	secretario
_____	drama	_____	biblioteca

II. <u>Formas plurales</u>. Change to the plural.

el actor _____ un dólar _____

la universidad _____ la nación _____

una calculadora _____ el papel _____

un problema _____ una mujer _____

la señorita _____ un lápiz _____

III. <u>La nacionalidad</u>.

1. Javier Bardem es un actor _____

2. Acapulco y Veracruz son (*unas*) ciudades (*cities*) _____

3. El tequila es una bebida (*drink*) _____

4. Buenos Aires es una ciudad (*city*) _____

IV. <u>Pronombres</u>.

A. What pronoun would you use to talk about the following people?

el profesor de historia _____

los estudiantes de la clase de español _____

Beyoncé y Shakira _____

tus (*your*) amigos y tú _____

B. What pronoun would you use to talk to the following people?

el presidente de la universidad _____

un niño (*child*) _____

tu amigo/a _____

tus amigas _____

V. <u>La hora</u>. Create a question for the following answers:

1. ¿ _____?
   Son las once y veinte de la mañana.

2. ¿ _____?
   La clase de sociología es a las dos de la tarde.

3. ¿ _____?
   Regreso a casa a las cinco y media.

<u>Expresa en español</u>.

1. _____
Good morning. What time is it?

2. _____
It is 8 a.m. sharp.

3. _____
Spanish class is at 11 a.m., but (**pero**) history class is at 4.

4. _____
I need to study at 3 this (**esta**) afternoon.

VI. <u>Los números</u>. Complete the sentences with the written form of the numbers given.

1. En mi clase de biología, hay (17) _____ chicos y (21)

   _____ chicas.

2. Hoy necesito comprar mis libros. El libro de inglés cuesta (30)

   _____ dólares. También (*Also*) necesito comprar (6)

   _____ cuadernos y (12) _____ bolígrafos.

3. En el departamento de lenguas, hay (29) _____ profesores. (21)

   _____ profesores son europeos.

VII. <u>Verbos</u>. Choose the most logical verb and then conjugate it correctly.

1. Nosotros _____ (desear/buscar) hablar español.

2. La profesora Gómez _____ (pagar/regresar) a las once.

3. Los estudiantes _____ (charlar/necesitar) estudiar todas las noches.

4. ¿Tú _____ (practicar/llamar) español también?

5. ¿Qué otros (*other*) cursos _____ (regresar/tomar) tú este semestre?

6. Yo _____ (escuchar/lavar) música con unos amigos.

VIII. <u>Los posesivos</u>. Aunt Hortensia is helping everybody find things and get organized for the first day of school. Complete her sentences with the correct form of the possessive.

1. José, (*your*) _____ cuadernos están en (*your*) _____ coche.

2. Liliana, Rafael, aquí tengo (*I have*) (*your*) _____ libros.

3. Aquí están los lápices de Beatriz. Voy a ponerlos (*put them*) en (*her*) _____ escritorio.

4. ¿Alguien sabe (*Does somebody know*) dónde está (*my*) _____ calculadora?

5. Creo que (*I think that*) (*our*) _____ mochilas están en (*their*) _____ cuarto.

IX. <u>La negación</u>. Answer the questions negatively.

1. ¿Toman Uds. siestas en la clase de español?

2. ¿Necesita Bill Gates más dinero?

3. ¿Compran los estudiantes los libros de texto en una biblioteca?

4. ¿Hablan Uds. español perfectamente?

X. ¿Qué dices? What do you say in Spanish in each of these situations?

1. Ask the new student where s/he is from.

2. Tell someone that it's nice to meet her/him.

3. Ask the student if s/he wants to have coffee with you.

XI. Palabras interrogativas. Use the following question words and verbs to create nine questions about people and actions in the drawings, then add your own answers.

¿Dónde? ¿Cómo? ¿Cuál? ¿Cuándo? ¿Por qué? ¿Qué? ¿Quién? ¿Cuánto? ¿A qué hora?

hablar   pagar   comprar   desear charlar   tomar   buscar   navegar trabajar

La Profesora Gil

El Sr. Miranda

Marcos

1.

2.

3.

4.

5.

6.

7.

8.

9.

Information Gap Activity: ¿Qué clases tomas?

Fill out the first chart below in Spanish with your class schedule. Include the name and time of the class, referring to your book if you need to check how to say a class subject in Spanish.

lunes	martes	miércoles	jueves	viernes

Now find a partner and, using the model questions below, fill out the second chart with information about his or her schedule. After you and your partner have exchanged information, check to make sure you have each other's schedules written correctly.

MODELO: ¿Tomas una clase el lunes (el martes, el miércoles, etc.)?
            Sí, tomo el álgebra.
            ¿A qué hora?
            A las once de la mañana.

lunes	martes	miércoles	jueves	viernes

¿Es posible tomar un café juntos (*together*) un día? ¿Cuándo?

Round Robin: Grammar Monitor Activity

In this activity you will work in groups of three. Each partner will alternate roles until all three of you have (1) described one of the women; (2) asked questions; and (3) served as the grammar monitor.

Partner A: Describe one of the women at the party. Include her physical characteristics, her personality and what she likes to do.

Partner B: Listen carefully as Partner A describes one of the women. Then ask two questions to get more information about her.

Partner C: As the grammar monitor, your job is to listen for agreement errors that Partners A and B may make. Jot down any errors you may hear. Example: *Nati es alta y delgado.* Note that *delgado* should be *delgada.* When Partners A and B are finished, give them feedback on whether or not they are doing well on noun/adjective agreement.

Now switch roles. Partner A takes the role of Partner B (the person asking questions), Partner B takes the role of Partner C (the grammar monitor), and Partner C takes the role of Partner A (the describer).

Speaking Activities

C A P Í T U L O
2

Communicative Goals for Chapter 2

By the end of the chapter you should be able to:

- talk about activities and things you do in your free time ❑
- talk about the weather ❑
- describe what you do seasonally ❑
- talk about likes and dislikes ❑
- talk about the future ❑
- describe personality traits and conditions ❑
- talk about what you are doing right now ❑
- point out where things are located ❑

Grammatical Structures

You should know:

- present tense of regular -er and -ir verbs *gustar* ❑
- *ir* + *a* + infinitive ❑
- *estar* ❑
- present progressive ❑
- prepositions of place ❑

PRONUNCIATION

Listen and repeat after your instructor. Then practice in pairs.

1. Tu tía Tula tiene treinta tortillas tostadas.
2. Mi padre y mi primo, Paquito, practican con su profesor Pablo Pérez.
3. Imelda es impaciente, incompetente e indiscreta.
4. Patricia Pineda es práctica, patriótica y poética.
5. Lola López Ludwig está en Lima hasta el lunes.
6. El general Geraldo Germán es religioso y generoso.

LISTENING COMPREHENSION

#1 You will hear a passage about a student named Carlos Padilla. Listen for the answers to the <u>Cierto/Falso</u> statements below.

1. Carlos estudia en la Universidad de los Andes.
2. Vive en la Calle 18.
3. Tiene (*He has*) ojos negros.
4. Hay 5 personas en su familia.
5. Tiene dos perros.

#2 You will hear a conversation that takes place in a local supermarket. Listen for the answers to the questions below.

1. ¿Compra el Sr. Hernández la comida por la mañana o por la tarde?
2. ¿Cómo se llama la esposa del Sr. Hernández ?
3. ¿Cuántas personas hay en la familia Hernández?
4. ¿Cómo se llama el perro?
5. ¿Dónde trabaja Catalina? ¿Por qué?
6. ¿Dónde trabaja el Sr. Hernández? ¿Y su esposa?

LISTENING COMPREHENSION: El boletín meteorológico

You will hear brief weather reports for five U.S. cities. As you listen, write the name of the city next to the picture that best matches its weather description. Then complete the chart by listening for the high and low temperatures for that city and the weather forecast for the next day. One picture will not be used. You will hear the reports twice.

	Ciudad	Temperaturas máximas y mínimas	Tiempo para mañana

Listen to the statements your instructor reads and look at the maps below. Mark each statement as "cierto" or "falso" according to the maps.

LA AMÉRICA CENTRAL

SUDAMÉRICA

¿Cierto o falso?
1.
2.
3.
4.
5.
6.
7.
8.
9.
10.

PRESENT TENSE OF –ER & –IR VERBS

abrir	comer	leer
aprender	comprender	recibir
asistir (a)	correr	vivir
beber	escribir	

Complete the sentences with a logical verb, correctly conjugated for the subject given. All words can be used at least once.

1. Me gusta _____ las ventanas en la clase.
2. Por la tarde, las chicas _____ en el gimnasio.
3. Mis compañeras y yo _____ mucho cuando tomamos apuntes en la clase.
4. La profesora _____ la tarea de los estudiantes.
5. No _____ con mi mamá y mi papá cuando estudio en la Universidad.
6. ¿Dónde _____ por la mañana, en la cafetería o en casa?
7. Mi novio _____ mucho en la clase de español.
8. Mis amigas Ale y Vani _____ a todas las clases todos los días.
9. Cuando la profesora habla en español, la clase _____.
10. Yo necesito _____ el libro de la clase de computación.
11. Cuando estudian, los estudiantes _____ mucho café.
12. Deseamos _____ a hablar español.

PRÁCTICA: SOPA DE VERBOS

Complete the passages by choosing the most logical verb for the context and conjugating it as necessary for the subject given.

Mi vida en la universidad

Este semestre, yo (abrir/vivir) _____ en un apartamento. Mi compañero de casa (me llamo/se llama) _____ Ernesto. No me gusta vivir con él, porque (ser/estar) _____ egoísta y perezoso. Por ejemplo, (tocar/tomar) _____ la guitarra a las dos de la mañana y siempre (llegar/hablar) _____ por teléfono. ¡Yo (comprender/creer) _____ que (necesitar/desear) _____ buscar un nuevo compañero de casa pronto!

Muchos de mis amigos (vivir/mirar) _____ en residencias universitarias. Los sábados, nosotros (asistir a/llegar) _____ conciertos o fiestas. A veces, nosotros (comer/beber) _____ en un restaurante italiano que nos gusta mucho. Los domingos, yo siempre (comer/beber) _____ un café en mi café favorito y (leer/escribir) _____ el periódico. Después, cuando (abrir/recibir) _____ la biblioteca a las doce, yo (estudiar/hablar) _____ allí (*there*) para mis clases el lunes.

Una clase

Yo (vender/vivir) _____ cerca de la universidad pero no tengo un auto. Por eso, (caminar/llegar) _____ a mis clases. Mi clase favorita es la de español ya que la profe (ser/estar) _____ muy inteligente e interesante. (Hay/Ser/Estar) _____ mucho trabajo en la clase por eso mis compañeros y yo hacemos (*do*) muchas cosas para (aprender/trabajar) _____ todo: siempre (tomar apuntes/tomar una clase) _____ cuando la profe (contestar/hablar), a veces (leer/mirar) _____ la televisión en español y con frecuencia (escuchar/navegar) _____ en Internet para encontrar música en español. Nos (gusta/gustan) _____ las clases sin embargo, mi amiga (sacar buenas/sacar malas) _____ notas ya que no (ir/practicar) _____ a todas las clases.

¿SER O ESTAR?

With a partner, read the sentences and decide if you would need to use **ser** or **estar** for each. Explain your reasons.

1. Who <u>is</u> that gorgeous guy?

2. The bride <u>is</u> beautiful.

3. Yes, and the groom <u>looks</u> handsome in his tux.

4. Where <u>is</u> the father of the bride?

5. <u>He's</u> in the bar across the street.

6. <u>He's</u> furious because weddings are expensive.

7. When <u>is</u> the ceremony?

8. <u>It's</u> at 4.

9. <u>It's</u> hard to see the bride from here.

10. Which one <u>is</u> the bride's mother?

11. <u>She's</u> the tall lady up front.

12. She <u>is</u> very emotional!

13. For whom <u>are</u> all those presents?

14. They <u>are</u> for the newlyweds, of course!

15. Where <u>is</u> the groom from?

16. <u>He's</u> from Seattle.

17. <u>I'm</u> so happy I could cry.

¿SER O ESTAR? Párrafo

Select the correct verb and conjugate it correctly.

Hoy 1. _____ martes, y los estudiantes 2. _____ en la sala de clase. 3. _____ las once y media, más o menos. ¿Qué pasa ahora en la clase de español? Bueno, en este momento hacemos (*we're doing*) un ejercicio de gramática. En general, a los estudiantes no les gusta mucho la gramática; unos 4. _____ aburridos ahora. Otros 5. _____ preocupados porque no comprenden las diferencias entre los dos verbos **ser** y **estar**. Unos estudiantes miran a la profesora, y otros piensan en (*think about*) otras cosas: una siesta, el fin de semana, etcétera.

¿Cómo 6. _____ los estudiantes de nuestra clase? Unos 7. _____ altos, otros 8. _____ rubios y otros 9. _____ de otros países. A veces, cuando los estudiantes llegan a clase, 10. _____ cansados porque trabajan mucho y 11. _____ preocupados por sus problemas académicos. Hoy, sin embargo, nadie 12. _____ nervioso o de mal humor; la verdad es que todos parecen (*seem*) 13. _____ relativamente contentos. ¿Todos los estudiantes 14. _____ en clase hoy o no? ¿Quién no 15. _____ aquí? ¿Qué 16. _____ (*doing*) haciendo las personas que faltan?

A la profesora le gusta la clase porque los estudiantes 17. _____ inteligentes, trabajadores y simpáticos. ¿Cómo 18. _____ la profesora hoy? Pues, desgraciadamente no 19. _____ muy bien; 20. _____ cansada. Pero normalmente ella 21. _____ una persona alegre.

En este momento los estudiantes 22. _____ ocupados con la gramática. Hablamos de los verbos **ser** y **estar**. A veces 23. _____ difícil entender los usos de los dos verbos. Pero 24. _____ muy importante saber (*to know*) cuándo se dice (*one says*) **ser** y cuándo se dice **estar**. Ustedes 25. _____ de acuerdo, ¿verdad?

PRÁCTICA: Present Progressive

¡Qué noche más divertida! Write a short paragraph about what everyone is doing at the Bar Paladino tonight. Use the present progressive.

_____

_____

_____

_____

_____

Now answer the questions about the scene above.

1. ¿De dónde **es** Carlos?

2. ¿Dónde **están** todos en este momento?

3. ¿Cómo **es** Ana?

4. ¿Cómo **está** el mesero (*waiter*) después de trabajar 8 horas?

5. ¿De qué **es** la falda de Ana?

6. ¿Por qué **está** contento Jaime?

7. Tomás piensa que el Bar Paladino **es** aburrido. ¿Por qué no **está** de acuerdo Ana?

8. ¿A qué hora **es** el concierto de Madonna en la tele?

PRÁCTICA: ENSALADA DE VERBOS Y ADJETIVOS

Complete the following passage by selecting the correct verb/correct adjective for the context. When given a choice between two verbs, choose the most logical one; with adjectives, change them to agree with the nouns they modify.

(1. Estudiar - yo) _____ el español porque (2. ser) _____

importante hablar un idioma (3. extranjero/a) (*foreign*) _____. Mi amigo Brian

tiene una novia (4. colombiano/a) _____ y por eso él (5. tomar)

_____ la clase; él desea (6. hablar) _____ con ella.

Mi clase (7. es/está) _____ a (8. los/las) _____ nueve de

la mañana; (9. Hay/Están) _____ 23 estudiantes. Generalmente, Brian y yo

(10. llegar/trabajar) _____ a las nueve menos tres pero la profesora no

(11. llegar) _____ hasta las nueve. Ella (12. te llama/se llama)

_____ Beatriz y (13. ser/es) _____ joven; tiene 28 años.

(14. Los/Las) _____ estudiantes de la clase (15. ser) _____ muy

diferentes y por eso es (16. un/una) _____ grupo interesante. (17. Mucho)

_____ estudiantes (18. practicar/tocar) _____ un deporte; otros

(19. trabajar) _____, pero todos nosotros (20. sacar) _____ buenas

notas.

En general, me (21. gustar) _____ la clase. A veces escribimos

composiciones (22. corto) _____; también (23. escuchar) _____

canciones en español. Después de (*after*) clase, no (24. desear - yo) _____

estudiar más por eso, (25. pasar) _____ tiempo con mis amigos. Nosotros

(26. nadar) _____, (27. tomar) _____ sol o (28. escuchar)

_____ música para oír (*hear*) canciones (29. bonito) _____ en

español.

REPASO: CAPÍTULO 2

I. Vocabulario

A. <u>Los adjetivos y la concordancia</u>. Complete the following sentences paying attention to agreement. Try to list at least 3 adjectives for each person.

1. Yo soy _____

2. Mi mejor amigo/a es _____

3. Mi persona favorita es _____

B. <u>Definiciones–Los contrarios</u>

1. Lo contario de aburrido es _____

2. Lo contrario de contento es _____

3. Lo contrario de derecha es _____

4. Frío es lo contrario de _____

C. <u>¿Que tiempo hace</u>? Based on the short descriptions of what people are doing or wearing, write a sentence saying what the weather is like:

1. La gente va a las montañas para esquiar:

2. Tomamos el sol y jugamos al vólibol en la playa:

3. El cielo (*sky*) está gris y estoy triste:

4. ¿Dónde están mis botas y mi impermeable?

5. ¡Uff! ¡Necesito tomar un vaso de agua!

6. Estoy en Los Angeles y no puedo ver (*see*) ni respirar (*to breathe*):

7. ¿Qué tal si vamos al parque para estudiar?

II. Gramática

A. Los usos del verbo **ser**. Complete the passage with the correct form of the verb **ser**.

¡Hola! Me llamo Carlos Domínguez. _____ estudiante de ingeniería.

_____ alto, delgado y un poco perezoso. Mi familia y yo _____ de Madrid.

Mi padre, José, _____ periodista y mi madre, Sara, _____ maestra. Tengo

dos hermanas menores, Elena y Sarita. Ellas _____ estudiantes también.

B. Los usos del verbo **estar**.

Soy Karen Lynn Smith y _____ en la clase de español; _____ muy

nerviosa ya que hay un examen importante hoy. La profe siempre _____ muy

ocupada con su trabajo sin embargo habla con nosotros tranquilamente cuando

_____ con ella en sus horas de consulta. Por eso los estudiantes no _____

asustados. La oficina de la profe _____ en un edificio bonito y siempre

_____ limpia (*clean*).

C. Un domingo en casa. Complete the sentences with the correct form of the most logical verb in parentheses.

1. Después de misa, nosotros (llegar/ir) _____ a comer.

2. Por la tarde, papá y yo (escribir/leer) _____ el periódico.

3. Mi hermanita menor, Patricia, (vender/aprender) _____ un nuevo juego en la computadora.

4. Mamá (nadar/tomar sol) _____ en el patio.

5. A veces, la tía Raquel y mis primos (escuchar/mirar) _____ la televisión con nosotros.

6. Yo (ser/regresar) _____ a mi residencia en la universidad por la noche.

D. <u>Gustar.</u> Contesta con una frase completa.

1. ¿Te gusta la comida italiana? _____

2. ¿Te gusta escuchar música clásica? _____

3. ¿Te gusta la universidad? _____

4. ¿Te gusta tomar café? _____

5. ¿Te gustan los compañeros de clase? _____

6. ¿Te gustan las clases difíciles? _____

7. ¿Te gustan los exámenes? _____

8. ¿Te gustan las fiestas? _____

<u>Expresa en español.</u>

9. _____
I like the text a lot.

10. _____
But (**Pero**) I don't like the exams.

11. _____
Do you like your classes, Juan?

E. <u>Ir + a + infinitive</u>. Answer the questions in a complete sentence.

1. ¿Cuándo vas a regresar a casa hoy?

2. ¿Cuándo vas a estudiar para el examen de español?

3. ¿Qué van a hacer (*to do*) tú y tus amigos este fin de semana?

4. ¿Qué vas a hacer (*to do*) esta noche?

F. <u>Un sábado típico</u>. Suppose that today is a typical Saturday. Using 5 different verbs in the present progressive, tell what you are doing at the following times.

1. Son las 7:15 de la mañana. _____

2. Son las 10:00 de la mañana. _____

3. Es la 1:30 de la tarde. _____

4. Son las 6:30 de la tarde. _____

5. Son las 11:45 de la noche. _____

G. <u>¿Cuál fue la pregunta?</u> Write an appropriate question for the answers given.

1. ¿_____?
Bogotá está en Colombia.

2. ¿_____?
Los países centroamericanos son Guatemala, Honduras, El Salvador, Nicaragua, Costa Rica y Panamá.

3. ¿_____?
Para mis próximas vacaciones, voy a Chile para esquiar.

4. ¿_____?
Hay más de 45 millones de habitantes en México.

5. ¿_____?
Carlos Fuentes, el escritor, es de México.

III. ¿Qué dices? What do you say in Spanish in each of these situations?

1. You want to find out whose backpack is in your car.

2. Explain to your roommate your reasons for not studying tonight.

3. Find out how often your friends study in the library.

4. You need to find out the capital of Venezuela.

IV. Diálogo

Your exchange-student roommate is going home for the weekend with you. Write a short dialogue in which you

- tell your roommate what pastimes and sports you will do

- describe the weather in your hometown during two different seasons

- ask your roommate about his/her friends and what pastimes and sports they do when they're together

EL HORÓSCOPO

PISCIS: (del 19 de febrero al 20 de marzo). Usted es muy trabajador y muy independiente. Sus relaciones no son estables. No es celoso. Color: amarillo.

ARIES: (del 21 de marzo al 19 de abril). Usted es muy expresivo, activo y enérgico. Es un amante muy apasionado y tal vez un poco impulsivo e impaciente. Color: rojo brillante.

TAURO: (del 20 de abril al 20 de mayo). Usted es un poco temperamental. Es fiel a sus amigos. Tiene un buen sentido del humor. Colores: café oscuro y negro.

GÉMINIS: (del 21 de mayo al 20 de junio). Usted es versátil, divertido y muy sociable. No es muy sentimental. Le gusta mucho conversar y es también un maestro excelente. La familia y los amigos son muy importantes en su vida. Color: azul marino.

CÁNCER: (del 21 de junio al 22 de julio). Usted es muy sensible. Busca la seguridad y la buena vida. El dinero es muy importante para usted. Es una persona activa y a veces intensamente romántica. Colores: crema, amarillo y blanco.

LEO: (del 23 de julio al 22 de agosto). Usted es agresivo, persistente y dedicado. Tiene pocos pero buenos amigos. Es muy trabajador y entusiasta. Color: anaranjado.

VIRGO: (del 23 de agosto al 22 de septiembre). Usted es modesto y callado. Es serio, práctico y competente. Tiene mucha energía y es buen trabajador. Es muy selectivo en sus relaciones. Colores: café oscuro y verde.

LIBRA: (del 23 de septiembre al 22 de octubre). Usted es sensible, artístico y un poco tímido. Tiene muchos amigos. Es muy jovial y amistoso. Color: azul.

ESCORPIÓN: (del 23 de octubre al 22 de noviembre). Usted es reservado, intuitivo y un poco tímido. Es sensual y romántico. Es también organizado y persistente. Colores: rojo y negro.

SAGITARIO: (del 23 de noviembre al 21 de diciembre). Usted es entusiasta y optimista. Es sociable, honrado y también sincero. A veces es impulsivo y apasionado. Colores: azul oscuro y violeta o morado.

CAPRICORNIO: (del 22 de diciembre al 20 de enero). Usted es una persona profunda, determinada y organizada. Usted es un soñador. Tiene sentido de humor y una personalidad muy atractiva. Color: verde claro.

ACUARIO: (del 21 de enero al 18 de febrero). Usted es una persona elegante, creativa y sofisticada. Es un poco idealista y muy independiente. Puede ser irresistible al sexo opuesto. Colores: rosado y blanco.

WORKSHEET TO ACCOMPANY "EL HORÓSCOPO"

1. Look at the title of the sheet. What do you think the word **horóscopo** means?

2. Look at the 12 entries. After each astrological sign, you see the corresponding dates in parentheses. Write out the Spanish names for the months here, saying them aloud as you write them.

JANUARY _____   JULY _____
FEBRUARY _____   AUGUST _____
MARCH _____   SEPTEMBER _____
APRIL _____   OCTOBER _____
MAY _____   NOVEMBER _____
JUNE _____   DECEMBER _____

3. The word **cumpleaños** means *birthday*. Answer the following questions, using the correct form of expressing dates in Spanish.

Modelo: Mi cumpleaños es el 6 de febrero.

¿Cuándo es tu cumpleaños? _____

¿Cuándo es el cumpleaños de tu mejor amigo? _____

4. What do you think **¿Cuál es tu signo?** means?

5. Now look at the entry for your own **signo astrológico**. Which is it? Read through the entry. List words/expressions you know here:

6. What words in your entry are unfamiliar? What do you think they mean?

7. Is the description of your signo astrológico accurate for you? Which parts were close to the mark?

8. Think of a person you know well with a different sign. Read that person's description, then follow steps 5, 6 and 7 again. Is the description true for that person?

ENTREVISTA: ¿Cómo estás?

In class we've practiced using the verb estar to describe conditions (**Estoy alegre, aburrido/a, enojado/a**). Now find out how one of your classmates feels in the following situations. Take turns asking and answering the following questions with a classmate, following the cues below. Use the adjectives from this chapter in your answers.

1. Los lunes por la mañana, ¿cómo estás?

Los lunes por la mañana, estoy _____.

2. Antes de los exámenes, ¿cómo estás?

3. Cuando llueve, ¿cómo estás?

4. Los viernes por la noche, ¿cómo estás?

5. Cuando hace mucho calor, ¿cómo estás?

6. Cuando estás con tu familia, ¿cómo estás?

7. Cuando hace frío, ¿cómo estás?

8. Cuando no comprendes el español, ¿cómo estás?

9. Cuando sacas una "A" en un examen, ¿cómo estás?

10. Cuando trabajas muy tarde, ¿cómo estás al día siguiente (*next day*)?

11. Cuando hay un problema con un amigo, ¿cómo estás?

COMMUNICATIVE GOALS PRACTICE #1

Try to talk about the party scene below for about 45 seconds. "Show off" all you have learned up to this point in the semester. Check the **Communicative Goals** boxes at the beginning of each chapter of your Supplement to see all that you should be able to do. You may use your imagination to add more details, but do not try to go beyond what we have been covering in class. For this first oral proficiency practice, the following 7 categories are suggested:

1. time	4. nationality	7. actions taking place
2. appearance & moods	5. telephone numbers	
3. personality	6. likes/dislikes	

After you've finished your description, imagine you are talking to the characters in the drawing. Ask at least two questions to one or more characters.

BINGO: GUSTAR

la comida china _____	A _____ estudiar español	_____ los tacos	_____ el chocolate
jugar al tenis _____	_____ las siestas	_____ A _____ la universidad	_____ Britney Spears
los restaurantes de comida rápida _____	_____ bailar	las películas de horror _____	_____ las telenovelas	_____ la música clásica
_____ el vino	cantar en la ducha (*shower*) _____	_____ los perros	_____ el café	hablar por teléfono _____
practicar deportes _____	la música latina _____	los idiomas extranjeros (*foreign*) _____	las clases a las ocho de la mañana _____	_____ Oprah Winfrey

BINGO

_____ está cansado/a	A _____ le gustan las fiestas	_____ charla por teléfono por la noche	_____ asiste a conciertos con frecuencia
_____ nada cuando hace frío	_____ estudia economía	_____ es divertido/a	_____ corre cuando llueve
A _____ le gustan los lunes	Hay gemelos/as (_twins_) en la familia de _____	_____ desayuna en la cafetería	A _____ le gusta jugar al fútbol	_____ vive cerca de la universidad
La madre de _____ trabaja	La familia de _____ es rica	_____ está enfermo/a	_____ está preocupado/a	La familia de _____ está contenta
Un amigo de _____ busca esposo/a	_____ está aburrido/a	A _____ le gusta cuando está nublado	_____ es bajo/a	En la familia de _____ hay muchas reuniones

CAPÍTULO
3

Communicative Goals for Chapter 3
By the end of the chapter you should be able to:

- talk about your obligations ❏
- talk about things that you know ❏
- talk about people and places you're ❏
  familiar with
- talk about household chores ❏
- talk about how you spend ❏
  your free time

Grammatical Structures
You should know:

- *deber/necesitar* + infinitive ❏
- *tener, venir, preferir & querer* ❏
- *tener que* + infinitive ❏
- stem changers ❏
- *tener* idioms ❏
  hacer, poner, oír, salir,
  traer & ver

PRONUNCIATION PRACTICE

A. Pronounce the following groups of words after your instructor. Try to visualize each item and the color too, as you say each group of words:

los cuadernos azules   la lana de Londres   la mujer bonita   el almacén allá

la mochila de cuero   el libro rosado   la puerta parda   las sillas rojas

B. Stress and Written Accents: Listen as your instructor pronounces each of the following words. Underline the stressed syllable. Then take turns with a partner and pronounce the words in the list.

1. tra-ba-ja-dor

2. nues-tro

3. so-bri-no

4. dic-cio-na-rio

5. cal-cu-la-do-ra

6. a-le-mán

7. so-cio-lo-gí-a

8. plás-ti-co

9. a-crí-li-co

10. dó-la-res

11. pe-se-tas

12. se-te-cien-tos

13. a-na-ran-ja-do

14. u-ni-ver-si-dad

15. pá-ja-ro

16. ro-mán-ti-ca

LISTENING COMPREHENSION

Listen as your instructor reads a paragraph describing the schedules of four students. As you listen, fill in the chart below with information about each person's schedule. After you complete the chart, use the information you've written to answer the question below.

	María	Juan	José	Sara
8-9 a.m.				
9-10 a.m.				
10-11 a.m.				
11-12 a.m.				
12-1 p.m.				
1-2 p.m.				
2-3 p.m.				
3-4 p.m.				
4-5 p.m.				
5-6 p.m.				

¿Cuándo pueden reunirse (*get together*) los cuatro estudiantes por dos horas para estudiar para su examen de español? _____

Listen as your instructor describes the household chores of the Pacheco family. The first time you listen, write each person's name next to him/her. Also listen for what chores each person is responsible for, and write them next to the person's name. The second time, listen for the answers to the true-false statements below.

¿Cierto o falso?

1. Los Pacheco están limpiando ahora porque hacen una fiesta esta tarde.

2. Miguel no es un chico muy organizado.

3. Lydia tiene que planchar la ropa de la familia entera.

4. A Lydia le encanta planchar.

5. La Sra. Pacheco no trabaja en casa hoy porque está enferma.

6. A Lydia no le importa tener un cuarto ordenado.

7. El Sr. Pacheco no piensa lavar el coche (car) solo.

8. El Sr. Pacheco debe poner la mesa.

9. La Sra. Pacheco va a trapear (mop) el piso.

PRÁCTICA: Planes y preferencias

Explain what the following people are going to do, have to do and feel like doing this weekend. Combine the subjects with the activities listed below.

almorzar con amigos
salir a bailar
jugar al fútbol
regresar a casa
navegar en Internet
estudiar español
descansar
ir a la iglesia
aprender los verbos irregulares

yo
mi mejor amigo/
el profesor/la profesora
los compañeros de clase

+

¿Qué **van a hacer** estas personas este fin de semana?

1.

2.

3.

4.

5.

¿Qué **tienen que hacer** este fin de semana?

1.

2.

3.

4.

5.

Pero en realidad, ¿qué **tienen ganas de hacer** este fin de semana?

1.

2.

3.

4.

5.

VERB WORKSHEET

I have to read. _____

I want to read. _____

I'm going to read. _____

I can read. _____

I feel like reading. _____

I prefer to read. _____

We don't have to clean. _____

We don't need to clean. _____

We're not going to clean. _____

We can't clean. _____

Marta has to swim. _____

Marta wants to swim. _____

Marta feels like swimming. _____

Marta can swim. _____

They prefer to set the table. _____

They need to set the table. _____

They are going to set the table. _____

They want to set the table. _____

They have to set the table. _____

PRESENT TENSE OF hacer, ir, poner, oír, salir, traer & ver
ESTAR, GUSTAR, HACER, IR, PONER, OÍR, SALIR, SER, TRAER & VER

Complete the sentences with a logical verb, correctly conjugated for the subject given. All words should be used twice.

1. No _____ a mi mamá con frecuencia ya que vive lejos (*far*) de mí.

2. Por la noche, los chicos _____ para ver a los amigos en los bares.

3. Mi clase favorita es español sin embargo _____ a las 8 de la mañana.

4. Me gusta _____ ejercicios por la mañana ya que estudio por la tarde.

5. Por lo general, la profe _____ una persona tranquila y simpática.

6. Ya que Mi amiga y yo _____ muchas cosas en la mochila, es pesada. (*heavy*).

7. _____ las noticias por la radio ya que no te gusta ver la televisión.

8. ¿Te _____ pasar tiempo con los amigos?

9. La clase _____ a bailar tango para hacer una lección cultural.

10. ¿Dónde _____ (Ud.) el celular cuando _____ en clase?

11. La profe _____ música a la clase ya que le _____.

12. Mis amigos y yo _____ muchas películas en la clase de español.

13. ¿ _____ tú a la biblioteca? Deseo estudiar contigo.

14. A veces, cuando yo no _____ la tarea, no comprendo la próxima clase.

15. Cuando la profesora habla, los chicos_____ y para aprender.

16. Las chicas alemanas _____ con los chicos rusos ya que son guapos.

17. ¿Dónde _____ mi libro? Necesito _____ mi libro en mi mochila.

LOS VERBOS NUEVOS: Irregular and Stem-Changing

irreg. → yo	e → ie	o (u) → ue	e → i
hacer poner salir	cerrar empezar pensar perder preferir	almorzar dormir jugar volver	pedir servir

1. Marta y José _____ al tenis todos los días. Después,

   _____ en el Café Continental, _____ a su apartamento y

   _____ una siesta corta.

2. En ese restaurante _____ comida italiana muy buena. (Yo) siempre

   _____ ir allí cuando _____ con mis amigos. (Nosotros)

   _____ una pizza grande casi siempre.

3. (Yo) _____ a Boston mañana, donde _____ un trabajo

   nuevo. (Yo) _____ que mi nuevo trabajo va a ser interesante.

4. No me gusta _____ al baloncesto con mi amiga Luisa, porque cuando

   ella _____ está furiosa, y _____ a su casa en seguida. (Yo)

   _____ jugar con Rafael y Gabriela.

5. ¡Mi compañero de clase es un desastre! Siempre me _____ cosas:

   dinero, comida, mi camisa favorita... ¡Y después, (él) _____ todas mis

   cosas! (Él) _____ todo el día, no _____ la puerta del baño

   nunca, y _____ a casa muy tarde todas las noches. _____

   que voy a buscar otro compañero el próximo semestre.

6. Quiero estar en buena forma (*good shape*). Por eso, (yo) _____ ocho

   horas de noche, _____ siempre una ensalada, _____

   deportes y _____ ejercicios.

PRÁCTICA DE VERBOS

En la universidad

1. ¿(Entender/Pensar - tú) _____ todas las palabras nuevas?

2. En clase mañana, (tener/ir - nosotros) _____ que tomar un examen.

3. Si tú (tener/traer) _____ un examen, entonces debes (ver/leer) _____ tu libro de texto.

4. La profesora (vender/venir) _____ a clase tarde a veces.

En la residencia

5. (Salir/Servir - ellos) _____ tacos, hamburguesas y pizza en la cafetería.

6. Patricio no (poner/poder) _____ descansar ahora, porque su compañero de cuarto quiere (oír/ver) _____ el partido de béisbol en la tele.

7. Yolanda (volver/vivir) _____ tarde a la residencia porque hoy (entender/empezar) _____ su nuevo trabajo en la librería.

8. Yo no (deber/dormir) _____ bien en la residencia, porque mis compañeros de cuarto (tener/hacer) _____ mucho ruido (*noise*).

En el centro

9. Yo (almorzar/beber) _____ en el centro todos los días.

10. En ese almacén, Uds. pueden (comprar/vender) _____ de todo.

11. Cuando yo (ser/salir) _____ con mis amigos, nosotros (ver/ir) _____ al Café "La Mallorquina" para tomar café y hablar.

12. ¿Qué (hacer/ir) _____ tú esta tarde? ¿(Venir/Querer) _____ ir de compras conmigo?

La familia

13. Mis tíos siempre nos (traer/venir) _____ regalos (*gifts*) cómicos para nuestros cumpleaños.

14. Este fin de semana, nosotros (pedir/pensar) _____ visitar a los tíos.

15. En casa de mis tíos, yo (ver/jugar) _____ con mis primitos y Ana (ser/salir) _____ con la tía Isa.

16. Después de (ver/oír) _____ a los tíos, Ana y yo (pensar/pedir) _____ ir a la casa de nuestros amigos también.

ENSALADA GRAMATICAL I: STEM-CHANGING VERBS

Complete the following passages.

1. Mis amigas Sara y Anita _____ (almorzar) en casa, pero yo (preferir) _____ almorzar en un café. Hay un café en mi calle donde (servir-ellos) _____ comida italiana muy (bueno/a) _____. Siempre (pedir-yo) _____ el mismo plato: lasagna. Después de almorzar, (volver-yo) _____ a (el/la) _____ universidad y (empezar) _____ a estudiar.

2. (Dormir-yo) _____ ocho horas de noche, pero mi amigo José (dormir) _____ sólo 5 o 6. (Muchos/as) _____ veces, él (estar) _____ cansado porque (trabajar) _____ en un almacén (*department store*) 25 horas (de/a) _____ la semana. (Creer-yo) _____ que José (deber) _____ descansar más. Pero (ir-él) _____ a la biblioteca todas las noches y no (volver) _____ a la residencia hasta (los/las) _____ 12, cuando la biblioteca se (cerrar) _____. José (pensar) _____ ser profesor de español en el futuro; por eso, (tener) _____ que trabajar mucho ahora.

3. (Este/Esta) _____ fin de semana no (querer-yo) _____ estudiar. (Pensar-yo) _____ salir con unos amigos. Nosotros (ir) _____ a ir al cine o tal vez a un partido de béisbol. (Mi/Mis) _____ amigos y yo (pensar) _____ que el béisbol es un deporte muy (divertido/a) _____, aunque nuestro equipo (*team*) favorito (perder) _____ mucho. A veces, después (de/del) _____ partido, nosotros (jugar) _____ en el parque. Yo no (jugar) _____ muy bien, pero mi amiga Beatriz (ser) _____ excelente.

ENSALADA GRAMATICAL II:
UN LUNES DIFÍCIL PARA PEPE

Complete the following passage conjugating the verbs in parentheses. Remember that in Spanish the subject is not always directly stated, so read carefully. Answer the questions at the end of the passage.

No me (1. gustar) _____ los lunes porque siempre (2. tener - yo) _____ muchos problemas ese día. Por ejemplo, (3. tener) _____ clase a las ocho de la mañana. Es la clase de español. Normalmente no está mal la clase pero hoy (4. ser) _____ una excepción. (5. Estar -yo) _____ cansadísimo y no (6. poder) _____ escuchar a la profesora. ¡Casi me (7. dormir) _____ en clase! Además, (8. tener - yo) _____ hambre y mi estómago (9. hacer) _____ mucho ruido (*noise*). En clase nosotros (10. practicar) _____ la gramática un poco; también (11. hacer) _____ unos diálogos. Unos estudiantes no (12. entender) _____ los verbos irregulares porque estos verbos (13. ser) _____ muy difíciles. Esta noche (14. ir - yo) _____ a estudiar con una amiga de mi clase, pero ahora (15. preferir) _____ ir a la cafetería para tomar un café colombiano.

Preguntas

1. ¿Qué problemas tiene Pepe esta mañana?

2. ¿Qué hacen en clase hoy?

3. ¿Qué no entienden unos estudiantes? ¿Por qué?

4. ¿Qué va a hacer Pepe esta noche?

5. ¿Qué prefiere hacer ahora?

6. ¿Por qué necesita un café colombiano?

PRÁCTICA: Prepositions and contractions

Complete the sentences with the missing prepositions, contractions, and articles.

La familia

1. Humberto es el sobrino (*nephew*) _____ _____ señora López.

2. La novia _____ mi hermano (*brother*) es guapa.

3. Mis abuelos (*grandparents*) son _____ Bolivia.

4. El hermano _____ doctor Sánchez está en Australia ahora.

5. La foto es _____ hermano de Ana.

6. Vamos _____ _____ casa _____ _____ primos (*cousins*)

   _____ Ana el sábado.

7. Elena recibe mucho dinero _____ sus abuelos.

8. Mi padre (*father*) va _____ laboratorio _____ _____ ocho de la mañana.

9. El color _____ coche _____ mi padre es rojo.

De compras

1. Vamos _____ almacén _____ _____ Hermanos Ramos.

2. La chaqueta (*jacket*) _____ algodón (*cotton*) es muy bonita.

3. La ropa _____ profesor Jaenes es muy cara.

4. Mis hijas van _____ supermercado para comprar café.

5. Llegan _____ _____ tienda _____ _____ dos de la tarde.

6. El impermeable (*raincoat*) _____ niño es _____ plástico.

7. El nombre _____ almacén donde compramos nuestra ropa es Galerías.

ENSALADA GRAMATICAL: Este fin de semana

Me gusta asistir a (1. este/esta) _____ universidad porque es muy (2. gran/grande) _____ y siempre hay mucho que hacer (3. las/los) _____ fines de semana. Este fin de semana, por ejemplo, (4. está/hay) _____ un partido de fútbol norteamericano entre (5. mi/su) _____ universidad y (6. nuestro/nuestros) _____ rivales. Muchos estudiantes de la otra universidad (7. ir/llevar) _____ a ver el partido, y muchísimos estudiantes de mi universidad (8. asistir/ser) _____ también. El partido (9. es/está) _____ el sábado (10. en/a) _____ las cuatro. Hay fiestas todo (11. el/la) _____ día antes (*before*) (12. de/del) _____ partido.

Pero, ¡qué lástima! En la clase de español, (13. es/hay) _____ (14. un/el) _____ examen el viernes. Los estudiantes (15. querer/necesitar) _____ tomarlo (16. el/la) _____ jueves, pero los profes dicen que es imposible. Ahora los estudiantes no están muy (17. contentos/contentas) _____ y (18. creer/comer) _____ que los profesores son antipáticos. Es (19. un/una) _____ problema pero (20. está/es) _____ imposible tomar la prueba antes. Por eso, los estudiantes (21. ir/querer) _____ a salir inmediatamente después de clase el viernes. Tienen mucha (22. razón/prisa) _____ y (23. necesitar/ir) _____ terminar la prueba pronto.

¿(24. Cuándo/Qué) _____ otros eventos hay este fin de semana? Bueno, mis compañeros de cuarto, Ramón y Esteban, (26. venir/desear) _____ ver (26. un/una) _____ película. A Ramón le (27. gusta/gustan) _____ la drama, pero a Esteban le (28. gusta/gustan) _____ las comedias. Y el sábado, (29. por/de) _____ la noche, mi amiga, Verónica, quiere escuchar música (30. latinoamericano/a) _____ pero yo no (31. desear/poder) _____ ir con ella ya que (32. deber/tener) _____ que trabajar. Mis padres (33. tener/poder) _____ ganas de visitarme por eso (34. ir/venir) _____ a (35. ir/venir) _____. Sin embargo, ellos siempre (36. ser/estar) _____ muy (37. ocupado/os) _____ por eso no me (38. poder/ir) _____ visitar con frecuencia. Ya que vienen con poca frecuencia, me (39. gusta/gustan) _____ mucho cuando vienen.

REPASO: CAPÍTULO 3

I. Vocabulario

A. 1. ¿Cuáles aparatos domésticos tienes en tu casa?

2. ¿Cuáles aparatos domésticos quieres tener en tu casa?

3. ¿Cuáles aparatos domésticos son absolutamente necesarios?

4. ¿Cuáles aparatos domésticos son un lujo (*luxury*)?

B. ¡Qué desastre! You and your roommates had a party at your house last night and now it's a complete wreck. But all of your parents are coming today for Sunday dinner at your place! Who will clean it all up? List all the people who live in your house and the chores they'll do.

Yo		

II. Gramática

A. Los verbos nuevos. Complete with the correct form of the most logical verb.

Estudiantes irresponsables. (Verbos posibles: **tener, venir, querer, poder**)

1. ¿Por qué _____ Uds. a clase sin los libros de texto?

2. Si Uds. _____ aprender, _____ que llegar a clase con los libros.

3. Nosotros no _____ estudiar los verbos nuevos hoy porque Uds. no _____ los libros.

<u>El libro.</u> (Verbos: **almorzar, encontrar, pensar, perder, soler, volver**)

Yo: No 4. _____ mi libro y lo necesito para estudiar.

Mi amiga: ¿No está en tu casa?

Yo: Es probable. Hmmm. Son las 12:30. 5. _____ volver a

casa para 6. _____ con mi compañera y buscar el libro.

Sin embargo, no sé (*I don't know*) qué hora 7. _____ ella

y no quiero 8. _____ mucho tiempo esperando (*waiting*)

ya que 9. _____ estudiar mejor en la biblioteca. ¿Qué

recomiendas?

B. <u>Expresiones con tener.</u> Summarize the situations using an expression with *tener.*

1. Son las cuatro de la mañana y no puedo dormir. Mañana, voy a . . .

2. Marco piensa que la capital del estado de California es Los Ángeles.

3. Debo estar en el trabajo a las 3 pero son las 3:05 y estoy en la cafetería.

4. Liliana está sola en casa y mira una película de horror en la tele.

5. Hacemos ejercicios cuando hace mucho calor en el verano y no bebemos agua.

6. Gané (*I won*) la lotería de 1.000.000 de dólares.

7. Es invierno, nieva y hace mucho viento.

C. Hacer, poner, oír, salir, traer and ver. Answer the following questions in complete sentences.

1. ¿Qué programas de televisión ven tú y tus amigos?

   _____

2. ¿Siempre traes tu libro de texto de español a clase o usas el libro electrónico?

   _____

3. ¿Con qué frecuencia sales con tus amigos?

   _____

4. ¿Con qué frecuencia oyes tus canciones (*songs*) favoritas en la radio?

   _____

5. ¿Qué tipos de ejercicio hacen tú y tus amigos?

   _____

6. ¿Ponen música cuando estudian tus compañeros/as de cuarto?

   _____

D. Preguntas personales. Contesta las preguntas con una frase completa.
Tú:

1. ¿Qué quieres hacer mañana?

2. ¿Cuál deporte prefieres practicar en el verano?

3. ¿Con quién hablas cuando tienes miedo?

4. ¿Con qué frecuencia vienes a la clase de español?

Tú y tus amigos:

5. ¿Prefieren Uds. las clases por la mañana o por la tarde?

6. ¿Cuántos libros tienen que comprar para la clase de español?

7. ¿Pueden estudiar Uds. cuando miran la tele?

8. ¿Necesitan aprender español, Uds. o quieren aprender español?

E. Preguntas y respuestas. Form 8 questions about the lives of the rich and famous by combining the question words from Column A with the verbs in Column B. Then answer your own questions, based on what you think these celebrities are doing.

MODELO: ¿Qué tiene que hacer Tiger Woods mañana?
             Tiene que practicar el golf por cuatro horas.

¿Qué?	ir + a + *infinitive*	Arnold Schwarzenegger
¿Cómo?	necesitar	Oprah Winfrey
¿Cuándo?	tener que + *infinitive*	Matt Damon
¿Adónde?	preferir	Lady Gaga
¿Cuánto/a/os/as?	querer	Tiger Woods
¿A qué hora?	poder	Jennifer López
¿Por qué?	pensar	Brad Pitt
¿Quién?	deber	Michelle Obama

ENTREVISTA: Los planes de la clase de español

Take a stroll around the room and ask your classmates about their plans for the future, and in turn answer their questions about your plans. Use the <u>ir + a + infinitive</u> structure to form your questions and replies, and <u>write down</u> the responses you get on this sheet. Ask a different question of each classmate

MODELO:

  You: Pete, ¿qué vas a hacer después de clase?
  Pete: Voy a regresar a la residencia y voy a tomar una siesta.

(You write): Pete va a regresar a la residencia y va a tomar una siesta

¿Qué vas a hacer . . .

 después de clase?

_____

 esta noche?

_____

 mañana antes de la clase de español?

_____

 este fin de semana?

_____

 para las vacaciones de primavera?

_____

 antes de tus exámenes finales?

_____

 después de tus exámenes finales?

_____

 después de graduarte (*after graduating*)?

_____

Information Gap Activity: El regalo (*gift*) perfecto

You and your partner need vacation ideas for the family members below, but first you need to know more about these people. Ask your partner questions to fill in the missing pieces of information, and answer your partner's questions using the information in your chart. Then discuss vacation ideas together and write your suggestions below.

Preguntas útiles:

¿Cómo es _____?   ¿Qué tipo de clima prefiere?

¿Cuál es el color favorito de _____?   ¿Qué le gusta hacer?

Compañero/a #1

Persona	Es...	Su color favorito es...	Prefiere cuando...	Le gusta...	Un buen viaje (vacation) es...
Mamá		el rojo		jugar al golf y tenis	
Papá	viejo		no hace frio		
Susana		el negro		ir a clubes, escuchar música	
Luís Jorge	aburrido		llueve		

Compañero/a #2

Persona	Es...	Su color favorito es...	Prefiere cuando...	Le gusta...	Un buen viaje es...
Mamá	joven		hace sol y calor		
Papá		el gris		ir a museos	
Susana	simpática		hace fresco		
Luís Jorge		el verde		leer, navegar en Internet	

GUIDED WRITING AND SPEAKING: Una residencia

A. First, using the picture and your imagination, answer the following questions in complete Spanish sentences. Pay careful attention to the way the questions are phrased in order to use the correct structures in your answers.

1. What time does Pepe eat lunch in the dorm?
2. Why does he want to live in an apartment?
3. What do Pepe and Joe do on the weekends? (**los fines de semana**)
4. What is Pepe's roommate like?
5. When does Pepe have to go to class?
6. What classes will Pepe take in the Spring?
7. How often does Pepe write to his mother?
8. How much does Pepe pay for the dorm?
9. Do you like where you live this semester?

B. Next, imagine you are one of the characters in the drawing. Write a 100-word letter home about your classes, roommate, dorm and new friends.

C. Now, with a partner, role-play a dialogue between any two characters in the drawing.

Key Language Functions: Description

One of the major goals of this course is to help you learn enough vocabulary and grammar to be able to describe yourself and other people accurately. In order to do this well, you need vocabulary to describe physical characteristics and personality traits, and you need to know how to conjugate and use the verbs **ser** and **estar.** You also need to be very aware of noun-adjective agreement **(la mujer rubia, mis primos locos).**

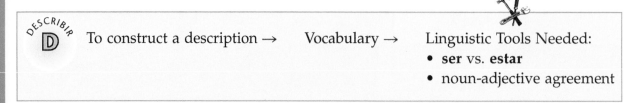

D DESCRIBIR   To construct a description →   Vocabulary →   Linguistic Tools Needed:
- **ser** vs. **estar**
- noun-adjective agreement

Take turns with a partner describing the following people. Include what the person looks like and something about his/her personality. Try to give three sentences for each person. Don't forget your vocabulary from previous chapters and the linguistic tools shown above.

1. A famous person

2. Your roommate

3. Your instructor

4. Your craziest relative

5. The oldest person you know

6. A child in your family

7. Yourself

8. One of your classmates

4

Communicative Goals for Chapter 4

By the end of the chapter you should be able to:

• tell your age	❏
• indicate purpose, reason and cause/effect of actions	❏
• point out people and things	❏
• describe friends and family	❏
• talk about things that you know	❏

Grammatical Structures

You should know:

• *por* vs. *para*	❏
• *para, por eso, porque*	❏
• demonstrative adjectives	❏
• *ser* and *estar* compared	❏
• *saber* y *conocer*	❏
• The personal *a*	❏
• numbers to 999,000,000	❏

PRONUNCIACIÓN

A. Listen as your instructor reads these sentences, then practice them with a partner.

1. Esta semana salgo con Víctor el viernes, César el sábado y Diana el domingo.

2. Las sicólogas suecas, Sara y Susana, venden sillones, sofás y sillas super-sofisticadas.

3. Conchita Correa quiere comprar una casa en Cáceres con comedor cómodo.

4. Pablo y Pilar piensan poner unas pocas plantas preciosas en el patio.

B. These Spanish proverbs all practice the **b** and **v** sounds. Listen as your instructor reads them, then repeat. Match the Spanish proverb with its English equivalent.

____ 1. No hay mal que por bien no venga.

____ 2. El bien no es conocido hasta que es perdido.

____ 3. Las verdades suelen decirlas los niños y los tontos.

____ 4. Haz el bien sin ver a quien.

a. You don't know what you have until it's gone.

b. Every cloud has a silver lining

c. Out of the mouths of babes.

d. Do good without asking who the recipient will be.

FAMILY TREE DIAGRAM

Listen as your instructor reads a description of a family. Fill in the names of the family members and their ages as you hear them.

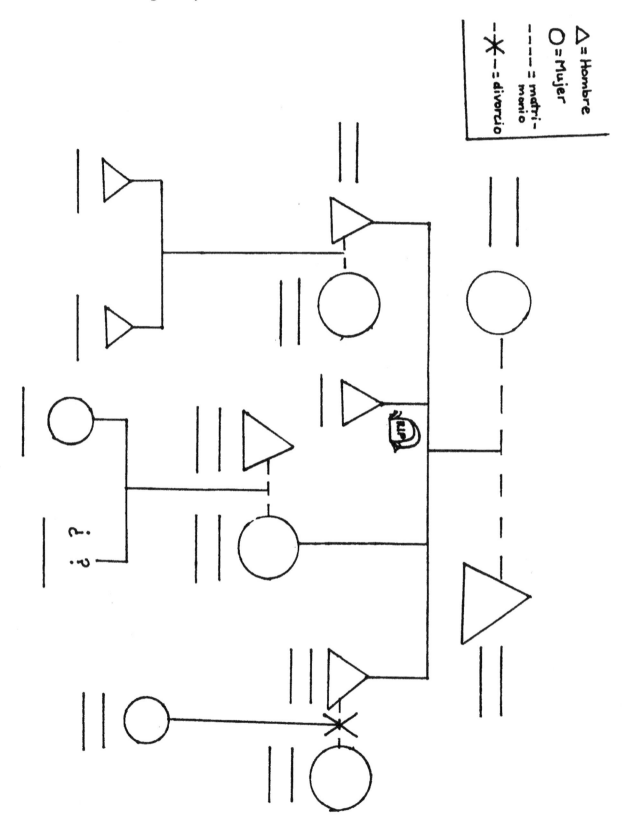

¿CÓMO ES ESTA FAMILIA?

Use the adjectives in Chapters 1, 2 and 4 of your text to describe each person or group of people shown in this family tree. Use your imagination and at least two adjectives for each person or group. ¡Ojo! Be careful with **ser** and **estar.**

Joaquín   Josefina

Mercedes   Luis   Elena   Juan

Carmencita   Manolito   Michín   Elenita   Juanito   Sultán

Modelo:	Juanito	_____ y _____.	Ahora	_____
	Juanito es	joven y cariñoso.	Ahora está contento.	

1. Joaquín

2. Manolito

3. Mercedes y Elena

4. Luis

5. Josefina

6. Sultán

7. Carmencita y Manolito

8. Joaquín y Josefina

9. Michín

10. Juan

VERBOS: Ser vs. Estar

Select the correct words or phrases from those given to complete the following sentences.

Ejemplo: Ernesto Pérez es _____. (ocupado / cansado / aquí / profesor)
Ernesto Pérez es <u>profesor</u>.

1. Estoy en el hospital porque soy _____.
    (enfermo / doctor / aquí / cerca)

2. Mi amigo está _____ hoy.
    (cantante / de España / contento / argentino)

3. Sofía no es _____, pero vive ahora en Colombia.
    (nerviosa / en el centro / colombiana / cerca)

4. Después de clase, estás _____.
    (inteligente / viejo / cansado / de Alemania)

5. Nuestros perros son muy _____.
    (frustrados / perezosos / enfermos / preocupados)

6. Hoy la profesora está _____.
    (de Chile / actriz / preocupada / alta)

7. ¿Cómo estás? Estoy _____, gracias.
    (de Uruguay / difícil / bien / inteligente)

8. Necesito un libro pero ahora la biblioteca está _____.
    (grande / cerrada (*closed*) / alta / vieja)

9. Creo que mis padres están _____ ahora.
    (simpáticos / inteligentes / en casa / morenos)

10. Vamos a estudiar más tarde; ahora estamos _____.
    (presidentes / trabajadores / cansados / perezosos)

11. La familia de Miguel es _____.
    (cerca de la biblioteca / en la oficina / de acuerdo / de Panamá)

12. La mesa es _____.
    (de madera (*made of wood*) / en mi nombre / cerca de la puerta / detrás del profesor)

13. Estos platos están _____.
    (de porcelana / de mi madre / sucios (*dirty*) / viejos)

14. La playa está muy _____.
    (bonita / cerca de aquí / grande / fea)

15. El libro es _____.
    (cerrado / caro / encima del escritorio / debajo de la mesa)

SABER VS. CONOCER WORKSHEET

I. Would you use **saber** or **conocer** in each of these sentences? Why?

1. She never <u>knows</u> the answer.
2. Do you <u>know</u> where Raul is? --No, but I <u>know</u> he's coming back later.
3. I don't <u>know</u> that girl, but I <u>know</u> she's from Chile.
4. My friend doesn't <u>know</u> how to play the guitar.
5. Do you <u>know</u> Paris well? --No, I <u>know</u> Madrid much better.
6. My friend wants to <u>meet</u> my unmarried cousin.
7. I don't <u>know</u> why she wants a dog!
8. I <u>know</u> San Francisco pretty well, but I still don't <u>know</u> all the good restaurants.
9. Do you <u>know</u> what we have to do tonight?
10. Hey, I <u>know</u> that guy!

II. Complete the following sentences with the correct form of **saber** or **conocer**.

1. (Yo) _____ a Beatriz, pero no _____ de dónde es.
2. ¡Esos chicos _____ jugar al básquetbol muy bien!
3. ¿ _____ (tú) cuánto dinero necesito para el cine?
4. Diego cocina muy bien: (él) _____ preparar muchos platos venezolanos.
5. ¿Por qué no _____ (Uds.) la respuesta?
6. ¿ _____ (tú) algo? Mi amigo Rafael quiere salir contigo.
7. --¿¿Rafael?? ¿Quién es? Yo no _____ a ningún Rafael.
8. ¿ _____ (tú) a la familia de tu novio?
9. En el futuro, quiero _____ a una mujer guapa, inteligente, simpática y rica... ¡pero _____ (yo) que eso va a ser difícil!
10. Marcos, ¿ _____ (tú) si hay una prueba mañana?
11. Pablo no _____ jugar al tenis pero sí _____ nadar muy bien.
12. No _____ (yo) qué voy a hacer esta noche.
13. Ellos no _____ América Central, pero _____ mucho de la política de esa región.
14. Queremos comer algo, pero no _____ dónde está el mercado.

PRÁCTICA: Saber vs. conocer

Alfredo and Raquel are looking for a place to eat. Complete their conversation with the correct form of **saber** or **conocer**, according to the context.

Raquel: Oye, Alfredo. Tengo hambre. ¿Comemos?

Alfredo: Sí, de acuerdo. ¿Por qué no comemos en este restaurante aquí? Es excelente.

Raquel: Bien, pero ... ¿cómo 1. _____ (tú) que este restaurante es tan (so) bueno? Yo no 2. _____ bien este barrio, y nunca vengo a comer por aquí.

Alfredo: Pues, yo lo 3. _____ muy bien. Como aquí casi todas las semanas.

Raquel: ¿De veras?

Alfredo: Sí. Ya 4. _____ (tú) que mi tía Elenita tiene un restaurante, ¿no? Pues, es este restaurante aquí.

Raquel: ¡No me digas! ¿En serio?

Alfredo: Sí, y vas a ver. Elenita 5. _____ cocinar de maravilla. Te va a gustar mucho.

Raquel: Ya lo creo. Me gustaría 6. _____ a tu tía. (*Entran al restaurante.*)

(*Unos minutos más tarde.*)

Raquel: ¿Y 7. _____ (tú) a nuestro camarero (*waiter*) también?

Alfredo: No, no lo 8. _____. Debe ser nuevo. ¿Ya 9. _____ qué vas a pedir?

Raquel: No, todavía no 10. _____. ¿Qué me recomiendas?

Alfredo: Pues, como 11. _____ (yo) que te gustan mucho las sopas, te recomiendo el caldo de pollo. Es la especialidad de la casa, y es riquísimo.

Raquel: De acuerdo. Y después de pedir, vamos a la cocina. Quiero 12. _____ a Elenita.

PRÁCTICA: Demonstrative Adjectives

A. Paula and her friend, Regina, are trying to make some decisions about what clothing to buy for their big party. Fill in the dialogue with the appropriate demonstrative adjective.

Paula: ¿Te gustan _____ mochilas o prefieres _____ vestidos
                                 these   *those*
      más grandes (*bigger*) allá?

Regina: La verdad es que no me gustan las mochilas en _____ tienda.
                                                                   this
      Prefiero las mochilas de _____ librería en el centro.
                                          that

Paula: De acuerdo, pero quieres comprar _____ libro, ¿verdad?
                                              that

Regina: Claro, y también _____ cuaderno es bonito y no muy caro. Vamos
                                  this
      a comprar _____ dos cosas aquí y podemos comprar las mochilas
                            these
      en la otra librería.

Paula: _____ es una buena idea.
         That

B. Ana and Yoli are looking at a family photo album. Complete their conversation with the correct demonstrative adjective.

Ana: Yoli, ¿qué es _____?
                             this

Yoli: Es un álbum de fotos de mi familia. ¿Lo quieres ver?

Ana: Sí, por supuesto. ¿Quiénes son _____ dos chicos aquí?
                                      these

Yoli: Son mis primos Fede y Manuel. Y _____ dos muchachos allá son
                                            those
      mis hermanos mayores, Sergio y Daniel.

Ana: ¿Y _____ señora (*so*) tan elegante?
                    that

Yoli: Es mi tía abuela, Carmencita. Y _____ señora a la derecha es una
                                         that, over there
      vecina, doña Victoria.

Ana: Y _____ personas aquí son tus padres, ¿verdad?
                      these

Yoli: No, son mi tío Guillermo y mi tía Lupe.

PRÁCTICA: Explaining your reasons

Answer the questions using **por eso** (so), **para** + *infinitive* (in order to...) or **porque.**

Modelo: ¿Por qué vendes tu bicicleta?

Vendo mi bicicleta **para comprar** otra bicicleta nueva.

Necesito dinero **por eso** verdo mi bici.

1. ¿Por qué deseas lavar la ropa?

2. ¿Por qué sales con ese chico?

3. ¿Por qué haces una fiesta todos los viernes?

4. ¿Por qué lees el periódico por la noche?

5. ¿Por qué asistes a la clase de español?

6. ¿Por qué sacas buenas notas?

7. ¿Por qué traes los libros a clase?

8. ¿Por qué no almuerzas en la cafetería?

9. ¿Por qué toman apuntes Uds.?

10. ¿Por qué deben estudiar Uds. antes del examen?

11. ¿Por qué a veces vuelven Uds. a casa tarde los fines de semana?

12. ¿Por qué es necesario encontrar un buen trabajo?

13. ¿Por qué es importante dormir 6 horas a la noche?

REPASO: CAPÍTULO 4

I. Vocabulario

A. Definiciones – La familia

1. La hermana de mi padre es mi _____

2. Los padres de mis padres son mis _____

3. El hijo de mi hermana es mi _____

4. La madre de mi sobrina es mi _____

5. Los padres de mi esposo son mis _____

6. La hija de mi padrastro es mi _____

7. Mi hermano que nació (was born) conmigo es mi _____

8. Una persona de mi familia es mi _____

9. Los hijos de mis tíos son mis _____

10. La esposa de mi hermano es mi _____

B. Definiciones – Los contrarios

1. Lo contrario de listo es …

2. Casado es lo contrario de …

3. Lo contrario del divorcio es el …

4. Viejo es lo contrario de …

II. Gramática

A. ¿Ser o estar? Would you use ser or estar to talk about the following things? Write "S" or "E" next to each one, then check your work on p. 111 of your text. Write a sentence in Spanish for each item on a separate piece of paper.

1. possession

2. someone's current condition or emotional state

3. what something is made of

4. time

5. inherent personality traits

6. where something is

7. agreeing with someone

8. identifying someone or something

9. nationality/origin

B. <u>Ser vs. Estar.</u> Complete the passage.

Hoy _____ jueves. _____ un día horrible. Llueve y hace mucho frío. Tengo que _____ en casa todo el día. No puedo ir al parque. Pero _____ posible ir al cine. La película que dan en el Cine Rex _____ muy interesante. _____ a las dos y veinte de la tarde. Voy a llamar a mis amigos. Si ellos _____ de acuerdo, todos vamos al cine esta tarde. ¡Va a _____ fenomenal!

C. <u>Saber vs. conocer.</u> Fill in the correct form of the missing verb. If the "personal a" is required, include it in your answer.

1. ¿_____ (tú) bailar el tango?
2. Yo _____ Jorge, pero no _____ dónde vive.
3. Ellas no _____ mi primo.
4. Necesitan _____ a qué hora vas a venir.
5. Acabo de _____ la madre de mi novio.
6. Quiero ir a Guatemala porque no _____ ese país.

D. <u>Demostrativos.</u> Complete the following sentences with the correct demonstrative adjective.

1. Quiero ir a (*this*) _____ tienda, no a (*that, over there*) _____ mercado.
2. ¿Es para mí? ¡(*That*) _____ es una sorpresa!
3. (*That*) _____ niño es su hijo.
4. (*This*) _____ semana voy a estudiar más (*more*).
5. (*Those*) _____ señoras vienen a hablar con mi mamá.
6. ¿Qué quieres hacer (*this*) _____ tarde? ¿Sólo comer? ¿(*That*) _____ es todo?
7. --¿Qué es (*that*) _____? --¿(*This*) _____? Es un sombrero.

BINGO FAMILIAR

una abuela viuda (*widowed*)	un perro y un gato	4 abuelos vivos (*living*)	una sobrina muy joven
un pariente divorciado	2 hermanos mayores	más de (*more than*) 8 primos	un tío soltero
un/una hermano/a menor	gemelos/as (*twins*) en la familia	un/una primo/a que vive en California	un pariente de otro país
una madre que trabaja	una familia rica	un/una sobrino/a travieso/a (*bratty*)	un padre guapo
un/una hermano/a que busca esposo/a	un/una primo/a antipático/a	un/una hermano/a casado/a	una tía gorda y simpática
		una pariente embarazada	una familia loca (*crazy*)	un esposo/ una esposa
		un hermano que no cocina muy bien	muchas reuniones familiares	

GUIDED WRITING AND SPEAKING: En casa

A. Using the picture and your imagination, answer the following questions in complete Spanish sentences. Pay careful attention to the way the questions are phrased in order to use the <u>correct</u> structures in your answers. Also use **por eso** and **para** + infinitive.

1. What day of the week is it? How do you know?
2. How old is Isabel?
3. What does Rosalía do in her free time?
4. What does doña Lupe want to do this afternoon?
5. What time does Sergio usually wake up from his nap?

B. Next, imagine you're an exchange student living with this family. Write a 100–word letter home about how you spend a typical Sunday with them.

C. With a partner, role-play a dialogue between any two characters in the drawing.

Speaking Activities

COMMUNICATIVE GOALS PRACTICE #2

Try to talk about the Muñoz family for 60 seconds. "Show off" all you have learned up to this point in the semester. Check the **Communicative Goals** boxes at the beginning of each chapter of your Supplement to see all that you should be able to do. For this second oral proficiency practice, the following categories are suggested. Try to use connectors (**porque, para** + infinitive, **por eso**) to make your description sound more fluent and natural.

1. time
2. description (age, personality, appearance)
3. family relationships
4. future plans
5. routines of family members

Laura Ben Carmen

Lourdes

Nando

After you've finished your description, imagine you are talking to the characters in the drawing. Ask at least two questions to one or more characters.

C A P Í T U L O
5

Communicative Goals for Chapter 5

By the end of the chapter you should be able to:

- describe where you live ❑
- discuss daily and weekly routines ❑
- express reciprocal actions ❑
- make simple comparisons ❑
- give emphatic opinions and reactions ❑
- express extremes ❑
- point out where things are located ❑

Grammatical Structures

You should know:

- reflexive pronouns and verbs ❑
- reciprocal verbs and pronouns ❑
- direct object pronouns ❑
- *más/menos ... que* ❑
- *tan, tanto/a/os/as ... como* ❑
- *ísimo/a/os/as* ❑
- superlatives ❑
- more prepositions of location ❑

PRONUNCIACIÓN: Los sonidos *rr* y *r*

Remember that Spanish has two *r* sounds. The single *r* is pronounced like the double *d* in *ladde*r; and. the trilled *r* is written *rr* between vowels (**carro**) and *r* at the beginning of a word (**rosa**). Listen as your instructor pronounces these pairs of words, then repeat.

ahora / ahorra   coro / corro   caro / carro
cero / cerro   pero / perro   coral / corral

Now listen as your instructor reads these sentences, then practice them with a partner.

1. El perro pardo es para Laura Rosario Romano.
2. Los ricos requieren ropa cara y carros rápidos.
3. Ahora es la hora de revisar los horribles errores de Ricardo.
4. Las rosas amarillas son para la prima de Ramiro.
5. Los ratones ruidosos corren rápidamente por los corredores.

Listen as your instructor reads some Spanish proverbs, then repeat. Can you match each proverb to its English equivalent?

____ 1. Al perro viejo, no hay tus tus.
____ 2. Cuando a Roma fueres, haz como vieres.
____ 3. La ropa sucia se debe lavar en casa.
____ 4. Perro ladrador, poco mordedor.
____ 5. Donde más hondo el río, hace menos ruido.
____ 6. Cuando una puerta se cierra, ciento se abren.

a. Still waters run deep.
b. A dog's bark is worse than its bite.
c. When one door shuts, another one opens.
d. You can't teach an old dog new tricks.
e. When in Rome, do as the Romans do.
f. Don't air your dirty laundry in public.

LISTENING COMPREHENSION: Una casa nueva

You will hear a friend describing her plans for furnishing her new house. On the left, list what she and her housemate already have for the house; on the right, list what they still need. You will hear the passage twice.

Ellas tienen:	Ellas necesitan:
1.	1.
2.	2.
3.	3.

LISTENING COMPREHENSION: La rutina de Chela

Listen as your instructor reads a passage describing Chela's weekday and weekend routines. The first time you listen, fill in the chart below with the times Chela does the activities during the week and on Sundays. The second time, listen for the answers to the true-false statements.

	los días de entresemana	los domingos
Se acuesta a las...		
Se despierta a las...		
Se levanta a las...		
Se ducha y se viste a las...		
Se viste a las...		
Se sienta para comer o tomar algo a las...		

¿Cierto o falso? Corrige las oraciones falsas.

1. Chela tiene la misma rutina todos los días.
2. Se acuesta más temprano el domingo que durante la semana.
3. Insiste en comer algo por la mañana todos los días.
4. Por lo general, tiene prisa por la mañana durante la semana.
5. Trabaja a las 9:15 en la universidad.
6. Chela prefiere levantarse inmediatamente después de despertarse.

LISTENING COMPREHENSION: ¿Quién es?

Your instructor will describe the people in the following pictures. Listen and fill in the names of the people being described.

PRÁCTICA: Reflexive Actions

A. Complete the passage below with the correct reflexive verb according to the subject and the English cues in parentheses.

Tengo una familia muy grande. Todos los días, mis hermanos y yo (1. *get dressed*)

_____ antes de salir para la escuela. Los hermanos pequeños

(2. *bathe*) _____ por la noche, pero yo (3. *shower*)

_____ y (4. *wash*) _____ el pelo por la mañana.

Mi hermana Cristina está cansada porque no (5. *goes to bed*) _____

hasta muy tarde. Mi hermano Joaquín trabaja en un banco. Es muy elegante y todos

los días (6. *he puts on*) _____ una corbata de seda. Papá (7. *shaves*)

_____ todos los días justo en el momento en que Mamá necesita

(8. *comb her hair*) _____, y los dos tienen que compartir el espejo.

Nosotros siempre (9. *enjoy ourselves*) _____ mucho con seis

personas, dos perros y un gato en la familia.

B. Complete the passage below about Sofía's day with the correct reflexive verb according to the context.

¡BZZZZZZZZ! Yo (1. acostarse/despertarse) _____ a las 7:30

de la mañana, pero no (2. levantarse/sentarse) _____ hasta las 8:00.

Tomo un café y luego voy al baño para (3. ponerse la ropa/ducharse)

_____. Después de planchar una blusa muy rápido, (4.

vestirse/afeitarse) _____. Desayuno y miro el programa "¡Buenos

días!" en la tele. Después, (5. ponerse (*to put on*)/comprarse) _____

los zapatos y un suéter porque hace fresco y salgo para la universidad.

Cuando regreso a casa por la tarde, estoy cansada. (6. Peinarse/Acostarse)

_____ en el sofá para mirar el noticiero de las 5:00. Empiezo a

estudiar a las 7:30, y estudio hasta las 10:30. Después, (7. lavarse/quitarse)

_____ la ropa, (8. ponerse/vestirse) _____ el

pijama, (9. cepillarse/peinarse) _____ los dientes y (10.

lavarse/afeitarse) _____ la cara. Por fin, (11. acostarse/dormirse)

_____ a las once, y después de leer un rato, (12.

dormirse/despertarse) _____. ¡Hasta mañana!

REFLEXIVE ACTIONS: Description

Use reflexive verbs to describe Marisol and Carlos' morning routine. Write ten sentences about what you see in the picture.

Verbos útiles:

despertarse
levantarse
peinarse
bañarse
afeitarse
ponerse
vestirse
quitarse

Answer the following questions. Try to think of two responses for each question.

Modelo: ¿En qué situaciones te pones (*do you get*) sorprendido?
Respuesta: Me pongo (*I get*) sorprendido cuando mis amigos me hacen una fiesta. También me pongo sorprendido cuando saco una mala nota en la clase de español.

1. ¿En qué situaciones te sientes alegre?

2. ¿En qué situaciones estás furioso?

3. ¿En qué situaciones te pones enojado?

4. ¿En qué situaciones te pones asustado?

5. ¿En qué situaciones estás preocupado?

6. ¿En qué situaciones te pones triste?

7. ¿En qué situaciones te pones nervioso?

8. ¿En qué situaciones estás cansado?

PRÁCTICA: Reciprocal pronouns

Complete the passage about Romeo and Juliet with the correct form of the verbs in parentheses. Remember to use the correct reflexive pronoun to express the reciprocal action.

Al comienzo (*At the beginning*) de la historia, Romeo y Julieta no (conocerse)

1._____. Ellos (verse) 2._____ por primera vez una

noche en una fiesta en la casa de Julieta. Esa misma noche, después de la fiesta,

Romeo va a la casa de Julieta. La ve en el balcón de su alcoba, y los jóvenes (hablarse)

3._____ por varias horas. (Decirse) 4._____ muchas palabras

de amor y descubren que (quererse) 5._____ muchísimo. Cuando por fin

Romeo se va, él y Julieta (darse la mano) 6._____ en una escena muy

romántica.

Pero hay un problema muy grave: las familias de Romeo y Julieta son grandes

enemigos (*enemies*). Los Capulet y los Montague (odiarse) 7._____ desde

hace siglos (*for centuries*). A pesar de eso, Romeo y Julieta deciden casarse (*to get

married*). Una tarde, ellos (encontrarse) 8._____ en el monasterio del buen

fraile (*friar*) Lorenzo, y él los casa. Después de la ceremonia, los novios (besarse)

9._____ apasionadamente. Por desgracia, Romeo tiene que salir de

Verona. Pero él y Julieta (escribirse) 10._____, y en sus cartas, planean

cómo van a (verse) 11._____ otra vez.

Todos sabemos cómo termina la trágica historia de Romeo y Julieta. Lo único

bueno de este doble suicidio es la reconciliación de sus familias. Mientras lloran (*they

cry*) el padre de Romeo y el padre de Julieta (abrazarse) 12._____. Ellos

(decirse): 13._____ "Nuestros hijos se querían (*loved each other*) tanto. No

seamos (*Let's not be*) enemigos más". Así ellos (prometerse) 14._____

ser amigos en el futuro, para siempre.

DIRECT OBJECT PRONOUNS WORKSHEET

Answer the following questions by substituting the correct direct object pronoun in your answer. Where appropriate, use the correct indefinite or negative words.

MODELO: ¿Pierdes <u>tus llaves</u> con frecuencia? No, no las pierdo nunca.

La clase

1. ¿Conoces bien <u>a todos los estudiantes</u> de la clase de español?

2. Hacen Uds. <u>los ejercicios</u> en el libro de texto cada día?

3. ¿Cuándo haces <u>la tarea</u> para tu clase de español?

4. ¿Vas a ver <u>al profesor</u> de español en la oficina hoy?

5. ¿Cuándo vas a aprender <u>la gramática</u> nueva?

6. ¿Empiezas a entender <u>los objetos directos</u>?

7. ¿Dónde compran los estudiantes <u>sus libros</u> de texto?

8. ¿Siempre ayudas <u>a los compañeros</u> de clase?

9. ¿Traes <u>tu diccionario</u> a clase siempre?

10. ¿Es necesario estudiar <u>las palabras nuevas</u> todos los días?

La comida

11. Cuando comes en restaurante, ¿siempre pagas <u>la cuenta</u>?

12. A veces, ¿bebes <u>cerveza</u> con tus amigos?

13. ¿Tomas <u>el café</u> con crema o sin crema?

14. ¿Te gusta preparar <u>la comida</u>?

15. ¿Traes <u>el almuerzo</u> a la universidad?

En casa

16. ¿Siempre lavas <u>los platos</u> después de comer?

17. ¿Haces <u>la cama</u> todos los días?

18. ¿En qué cuarto prefieres poner <u>el teléfono</u>?

19. ¿Miras <u>las noticias</u> en la televisión por la noche?

20. ¿Puedes escuchar <u>la radio</u> y estudiar al mismo tiempo?

PRÁCTICA: Comparisons and Emphasis

I. Compare the pairs of items listed, using the adjective and the symbol to guide you.

1. Michael Dell/Bill Gates/rico (+)

2. Tiger Woods/Lance Armstrong/talentoso (=)

3. Jimmy Fallon/George López/cómico (+)

4. Lady Gaga/Katy Perry/escandaloso (−)

5. Jennifer Aniston/Angelina Jolie/bonito (=)

6. los perros/los gatos/cariñoso (+)

7. las cucarachas/las ratas/feo (+)

8. Cameron Díaz/Meryl Streep/viejo (−) (¡Ojo!)

9. lavar la ropa/tender la ropa/malo (+) (¡Ojo!)

10. leer/escribir/bueno (+) (¡Ojo!)

II. Now give your opinion about the following people and things using an adjective of emphasis.

MODELO: los gatos → En mi opinión (Creo que) los gatos son hermosísimos.

tu mejor amigo/a   la universidad
el presidente Obama   los "talk shows"
Eva Longoria   las margaritas
el profesor/la profesora de español   la pizza de Pizza Hut
las playas de México   la música de Coldplay

SUPERLATIVOS

A. Complete the sentences, expressing your opinions.

1. La peor actriz en Hollywood es _____ . Sin embargo

   (*nevertheless*), _____

2. El peor quehacer doméstico es _____. Por eso, _____

   _____

3. El mejor programa de televisión es _____, porque _____

   _____

4. El día festivo menos divertido es _____. Sin embargo,

   _____

B. Look at the drawing. Who is the most or least _____ ? Write four
   sentences about what you see, using the superlative construction.

1. _____

2. _____

3. _____

4. _____

REPASO: CAPÍTULO 5

I. Vocabulario

A. Correspondencias. Match the word on the left with an associated action or actions on the right.

la cama	afeitarse
el baño	levantarse
la alcoba	ducharse
la sala	almorzar
la cocina	hacer la tarea
el comedor	poner/quitar la mesa
el escritorio	vestirse
la cómoda	acostarse
	peinarse

B. La rutina de Diego. Using the pictures as a guide, write a short paragraph describing a typical morning for Diego. Use a separate sheet of paper.

C. La rutina diaria. Now use six reflexive verbs to describe your daily routine. Use a separate sheet of paper.

D. Los días de la semana. What do you do or like to do on different days of the week? Complete the sentences.

1. Los lunes, generalmente...

2. Los miércoles, prefiero...

3. Los jueves, voy a...

4. Los viernes, salgo con...

5. Los sábados, no me gusta...

6. Los domingos, me gusta...

II. Gramática

A. Verbos nuevos. Complete the sentences with the correct form of one of the verbs according to the context. In each section, each verb will only be used once.

En casa los domingos: **despertarse / almorzar / salir / afeitarse / jugar / sentarse / dormir / volver / ponerse / ducharse**

1. Papá _____ en el sofá y Javier _____ en el baño.
2. Mamá _____ un poco tarde, a las nueve, y después _____ con la tía Mercedes.
3. (Yo) _____ en el sillón grande para leer el periódico.
4. Mi hermano Daniel _____ al fútbol en el parque y después _____ a casa, _____ y _____ su mejor ropa para visitar a su novia.
5. Todos _____ juntos a las dos en la cocina. ¡Tenemos hambre!

En la residencia: **hacer / salir / bañarse / servir / acostarse / ducharse / dormir / volver / afeitarse / perder**

1. En la cafetería, (ellos) _____ comida buena y barata.
2. Mi compañero, Martín, tiene una vida complicada: _____ con tres chicas a la vez, siempre _____ a la residencia muy tarde, y con frecuencia _____ su tarea.
3. Todos usamos un baño común. Allí (nosotros) _____, _____, _____, etcétera.
4. No _____ muy bien de noche porque los muchachos en el otro cuarto _____ mucho ruido y _____ a las tres de la mañana.

B. ¿Qué hacen en este momento? Use reflexive verbs to tell what each member of the Hernández family does each day. Be careful with the reflexive pronouns.

1. _____

2. _____

3. _____

4. _____

5. _____

6. _____

C. Acciones recíprocas. Complete the paragraph with the correct form of the verb in parentheses.

José y Eva no (conocerse) 1. _____, pero (verse) 2. _____ en el supermercado y (mirarse) 3._____ fijamente (*stare at each other*). Ellos (saludarse) 4. _____ y (darse la mano) 5. _____. Ellos (hablarse) 6_____ de varias cosas y se sonríen (*smile at each other*). Es aparente que ellos (llevarse bien) 7. _____. Después de varios minutos, (despedirse) 8. _____ y cada uno sigue haciendo la compra (*grocery shopping*) con una sonrisa (*smile*) permanente en la cara.

D. <u>Direct Object Pronouns</u>. Answer the questions using direct object pronouns.

1. ¿Cuándo ves tus programas de televisión favoritos?

2. ¿Con quién practicas el español?

3. ¿Cuándo vas a ver a tus amigos?

4. ¿Cuándo quieres conocer a mis amigos?

E. <u>Comparativos</u>. Make comparative statements about the people pictured below. Use the cues in parentheses to determine if the comparisons are equal or unequal.

1. clases / Gloria / Inés (=)
2. refrescos / José / Ramón (=)
3. amigos / Carlos / José (−)
4. tarea / Gloria / Roberto (+)
5. comer / Luis / José (+)
6. ver televisión / Roberto / Inés (+)
7. leer / Carlos / Gloria (=)
8. estudiar / Luis / Gloria (−)

F. <u>Being emphatic</u>. Translate to Spanish.

1. My children are extremely smart and mischievous.

2. We are always extremely happy and fun in the summer.

3. When we are extremely sick, we are also extremely tired.

4. My professor is extremely mad when we turn in extremely bad homework.

G. Los superlativos. Answer the following questions in Spanish.

1. What is the worst class you have this year?

2. Where can you eat the best Mexican (Chinese, Italian) food in town?

3. Who is the smartest person you know?

4. What is the most difficult sport?

5. What was the funniest movie you saw last year?

III. Diálogos. Write a short dialogue on one of the following situations.

A. You are planning a party with your roommate to celebrate the beginning of summer. Write a conversation in which you discuss, compare and decide:
- the date and the time of day you will have the party.
- the best place to have the party.
- the best combinations of people to invite to the party.
- the best activities for you to do during the party.

B. You and your roommate are getting your apartment organized. Write a conversation in which together you discuss and decide:
- what you already have for your new place;
- what you need to get;
- where you will put it.

BINGO: Mi casa y mi rutina

se levanta a las siete.	tiene una cama de agua.	sale todos los viernes.	se afeita antes de la clase de español.
no tiene televisor.	tiene una alfombra en su alcoba.	va a salir de casa este fin de semana.	hace su tarea en la cama.
canta mientras se ducha.	almuerza en McDonald's mucho.	juega al tenis muy bien.	La alcoba de _____ es un desastre.
va a la iglesia los domingos.	tiene una piscina.	estudia en la cocina.	vuelve a casa muy tarde los viernes por la noche.
tiene tres clases los martes.	siempre hace su tarea para la clase de español.	tiene un sofá feo.	sale con alguien esta noche.
			se levanta temprano los sábados.
			va a ir a una fiesta este sábado.
		tiene muchos exámenes la próxima semana.	duerme en clase a veces.
			hace deportes los fines de semana.

ENTREVISTAS: En una fiesta

Pretend you are at a party. Use these questions to get to know the other guests.

Una presentación:
—Hola, ¿qué tal? Eres ___, ¿verdad?
—Soy ___, mucho gusto.
—Encantado/Encantada (Igualmente).

En la universidad
¿De dónde eres?

¿Dónde vives este semestre?

¿Te gusta tu residencia/tu casa?

¿Te gusta la universidad? ¿Por qué?

¿Cuál es tu especialización?

¿Qué quieres hacer en el futuro?

La familia
¿Tienes una familia grande?

¿Cómo son tus padres?

¿Dónde viven ellos?

¿Tienes hermanos? ¿Cuántos años tienen?

¿Qué hacen tus hermanos?

¿Cuántos años tienes tú?

¿Qué te gusta hacer con tu familia?

¿Cuándo viene tu familia de visita?

La comida
¿Tienes un restaurante favorito?

¿Cuál?

¿Cómo es? ¿Qué sirven?

¿Dónde comes normalmente?

¿Comes con tu familia frecuentemente?

¿Qué te gusta comer cuando vuelves a casa?

El tiempo libre
¿Qué te gusta hacer en tu tiempo libre?

¿Qué haces los viernes por la noche?

¿Miras televisión mucho?

¿Qué programas te gustan?

¿Te gusta bailar?

¿Adónde te gusta ir los fines de semana?

Una despedida:
—Con permiso, tengo que hablar con ___.
—Hasta luego. Ha sido un placer.

Posibles respuestas
Vale. (*Okay.*)

¡Qué va! (*No way!*)

¡No me digas! (*You're kidding!*)

¡Qué casualidad! (*What a coincidence!*)

Claro. (*Of course.*)

¿De verdad? (*Really?*)

¡Qué interesante! (*How interesting!*)

¡Qué bien! (*How nice!*)

A. Using the picture and your imagination, answer the following questions in complete Spanish sentences. Pay careful attention to the way the questions are phrased in order to use the correct structures in your answers. Use connectors.

1. What's the weather like in Mérida today?
2. Who is sitting to the left of Germán?
3. Why is Germán worried?
4. Why does Profesor Campos think that Dina is smarter than Riqui and Nicolás?
5. What does Nicolás feel like doing?
6. Which of the students has to leave for class in five minutes?
7. Why is Nicolás tired and when does he typically get up?
8. Who likes to get up early?
9. Who studies as much as Ana María?
10. Where is Professor Alonso from?

B. Now imagine you are one of the characters in the drawing. Write an entry in your journal, comparing life in the dorm to life at home, and your college friends to your high school friends.

C. With a partner, role-play a dialogue between any two characters in the drawing.

Key Language Functions: Description and Comparison

At this point in the course you should be able to describe and compare people and places. To do this accurately you should know how to use **ser** and **estar**, know the rules for noun/adjective agreement, and know how to make comparisons of equality and inequality.

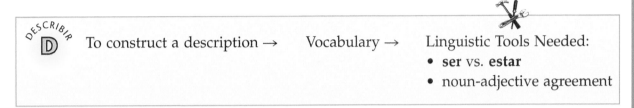

_{DESCRIBIR}
D   To construct a description →   Vocabulary →   Linguistic Tools Needed:
- **ser** vs. **estar**
- noun-adjective agreement

Take turns with a partner describing the following places. Include what you usually do in those places and how you feel when you are there. Don't forget your vocabulary from previous chapters and the linguistic tools listed above.

1. Your living room
2. Your favorite place to go on Saturday nights
3. Your favorite place to hang out on campus
4. Your favorite place to go in the summer

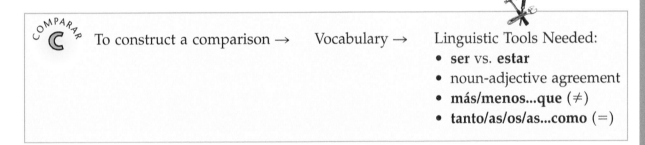

_{COMPARAR}
C   To construct a comparison →   Vocabulary →   Linguistic Tools Needed:
- **ser** vs. **estar**
- noun-adjective agreement
- **más/menos...que** (≠)
- **tanto/as/os/as...como** (=)

Take turns with a partner making comparisons between the following people, places and sentiments. Don't forget your vocabulary from previous chapters and the linguistic tools listed above.

1. Compare yourself and a relative.
2. Compare your apartment or dorm and your parents' house.
3. Compare your wardrobe and your roommate's wardrobe.
4. Compare how you feel during finals and how you feel during spring break.

C A P Í T U L O
6

Communicative Goals for Chapter 6

By the end of the chapter you should be able to:

- express to or for whom you do something ❏
- discuss likes and dislikes more fully ❏
- discuss what you eat and drink ❏
- order and pay for food ❏
- talk about things that happened ❏
  in the past

Grammatical Structures

You should know:

- indirect object pronouns ❏
- *dar* and *decir* ❏
- *gustar* verbs ❏
- double object pronouns ❏
- regular preterite verb forms ❏

PRONUNCIACIÓN: LAS VOCALES

Remember that in Spanish there are only five vowel sounds. Listen carefully as your instructor pronounces the following words, then repeat.

A   agua -- el agua -- el agua mineral -- camarones -- gambas -- naranja -- banana -- una naranja y una banana -- papas -- patatas -- las papas son patatas y las patatas son papas -- la carne -- hambre -- pan -- salsa -- sal -- una papa sin sal

E   té -- café -- leche -- café con leche -- refresco -- cerveza -- queso -- helado -- galletas -- beber -- comer -- Pepe bebe leche y come galletas -- tenedor -- mesa -- el tenedor está en la mesa -- cena

I   vino -- tinto -- vino tinto -- líquido -- el vino tinto es un líquido -- rico -- muy rico -- bistec -- el bistec está rico -- frijoles -- sirve -- aquí -- aquí sirven frijoles con chile -- piña -- almíbar -- piña en almíbar -- oliva -- mariscos

O   pollo -- arroz -- el arroz con pollo -- el arroz con pollo está bueno -- sopa -- jamón -- postre -- torta -- limón -- de postre hay torta de limón -- salmón -- no -- no me gusta el salmón -- melón

U   lechuga -- desayuno -- nunca -- ¡Nunca desayuno lechuga! -- verduras -- gustan -- ¿Te gustan las verduras? -- menú -- atún -- No hay atún en el menú -- fruta -- jugo -- el jugo se hace de fruta -- zumo -- legumbres -- chuleta -- cuchara -- cuchillo -- Se usa un cuchillo para cortar la chuleta.

LISTENING COMPREHENSION:
"Una noche en el restaurante Monterrey"

Your instructor will read a passage to you based on the drawing. The first time you hear the passage, identify the people/groups of people your instructor is describing. The second time you hear the passage, listen for details and answer the true/false questions below.

_____ 1. José and Beatriz will probably sit down next to the Gómez family.

_____ 2. Jean-Paul, when visiting the U.S., likes to eat in Arby's and Taco Bell.

_____ 3. The Gómez family is celebrating Mr. Gómez's birthday.

_____ 4. Sr. López eats in the Monterrey very frequently.

_____ 5. Sr. Peñas is ordering for himself and his wife.

_____ 6. The cashier is smiling because she's in love with Sr. López.

_____ 7. José has good manners.

_____ 8. The newlyweds are returning home in two days.

HOSTERIA DEL LAUREL
Plaza de los Venerables, 5
Teléfono 954 / 22 02 05
41004 - SEVILLA

¡BIENVENIDOS!

ENTRANTES

Ensalada Mixta . . . . 5 €
Ensalada Lechuga y Tomate . . . . 4 €
Ensalada Salsa Roquefort . . . . 7,50 €
Espárragos Tres Salsas . . . . 9,50 €
Entremeses variados . . . . 10 €
Jamón Serrano . . . . 12,30 €
Aguacate Vinagrete . . . . 9 €
Champiñones al ajillo . . . . 8,60 €
Melón con jamón . . . . 9 €
Consomé Jerez . . . . 3,50 €
Sopa de Ajos . . . . 3 €
Sopa de Picadillo . . . . 3,50 €
Gazpacho Andaluz . . . . 4 €

HUEVOS / PASTAS / ARROCES

Tortilla Española . . . . 6,50 €
Tortilla de Jamón . . . . 7,70 €
Paella Mixta (Min. 2 P.), 1 ración . . . . 16 €
Spaguetti Napolitana . . . . 6 €
Huevos Flamenca . . . . 6,50 €

Pan . . . . 1 €
Mantequilla . . . . 1 €
Oliva . . . . 2 €

PESCADOS

Brocheta de Mero . . . . 19 €
Fritura Sevillana . . . . 18 €
Urta Roteña . . . . 16 €
Pez Espada . . . . 18 €

CARNES

Chuleta de Cerdo . . . . 11 €
Pollo Sevillana . . . . 10 €
Menudo a la Andaluza . . . . 10 €
Riñones Jerez . . . . 9,50 €
Chuleta de Cordero . . . . 12 €
Cordero Asado . . . . 16 €
Salteado Ternera . . . . 12 €
Tournedos Hostería . . . . 16 €
Entrecote Parrilla . . . . 19 €
Solomillo Casera . . . . 26 €

POSTRES

Limón Helado . . . . 3,50 €
Helados Variados . . . . 4 €
Postre Hostería . . . . 4,50 €
Torta al Whisky . . . . 4,50 €
Flan al Caramelo . . . . 4 €
Fruta del Tiempo . . . . 3,50 €
Piña en Almíbar . . . . 3,50 €
Café Irlandés . . . . 4,50 €

PRÁCTICA: Indirect object pronouns

I. Fill in the blanks with the correct indirect object pronoun, according to the context or the cues in parentheses.

<u>En un restaurante</u>:

1. _____ sirven el almuerzo a la una. (a nosotros)
2. _____ compro refrescos a todos mis amigos.
3. ¿Cuándo _____ va a traer el menú? (a nosotros)
4. _____ puedo recomendar el arroz con pollo y el flan. (a ti)
5. ¿_____ pasas el pan, por favor? (a mí)

<u>En la universidad</u>:

6. La profe _____ pide la tarea a los alumnos.
7. En la cafetería, Tomás _____ guarda un puesto (*spot*) a María.
8. Sin embargo, María tiene que comprar _____ la comida a Tomás.
9. El profe _____ explica la gramática. (a nosotros)
10. Siempre _____ escribo notas a mis amigos.
11. No _____ dan nada de tarea en esa clase. (a ti)

II. Now complete each sentence with the missing indirect object pronoun and a logical verb for the context. **Verbos útiles: mandar, pagar, traer, dar, decir, comprar, pedir, hacer, prestar**

MODELO: La profesora <u>les explica</u> la gramática a los estudiantes.

1. Este semestre, mis profesores _____ _____ muchísima tarea.
2. Nosotros _____ _____ la matrícula (*tuition*) a la universidad todos los semestres.
3. Yo _____ _____ invitaciones a mi fiesta a todos mis amigos.
4. Mis amigos _____ _____ muchos regalos bonitos para mi cumpleaños.
5. Los padres _____ _____ la verdad a los hijos, sin embargo, ellos no _____ _____ la verdad nunca.
6. Los estudiantes _____ _____ muchas preguntas a la profesora.
7. Los pacientes _____ _____ consejos (*advice*) a los sicólogos.
8. Los padres _____ _____ dinero a sus hijos en la universidad.
9. Los estudiantes _____ _____ «Buenos días» al profesor de español.
10. A veces, mi compañero de cuarto _____ _____ su coche.

PREGUNTAS PERSONALES

Answer the following questions using direct or indirect object pronouns.

<u>En la universidad</u>:

1. ¿Les escribes a tus padres mucho?

2. ¿Tus padres te llaman todas las semanas?

3. ¿Puedes guardarme un asiento (*seat*) en la clase?

4. ¿Conoces al presidente de la universidad?

5. ¿Saben Uds. cuál es la capital de Costa Rica?

6. ¿A qué hora haces la tarea?

7. ¿Siempre entiendes la gramática?

8. ¿Me puedes explicar el Capítulo 6?

9. ¿Dónde compras tus libros de texto?

10. ¿Pagas tus libros con cheque o con tarjeta de crédito?

11. ¿Ves al profesor (a la profesora) cinco días a la semana?

<u>El tiempo libre</u>:

12. ¿Qué le gusta hacer a tu mejor amigo/a?

13. ¿Les prestas dinero a tus amigos?

14. ¿Les das tu número de teléfono a los compañeros de clase?

15. ¿Cuándo ves a tus amigos?

16. ¿Quieres ver la nueva película de George Clooney?

17. ¿Llamas a tus amigos por teléfono todas las noches?

18. ¿Tus amigos te invitan a comer con frecuencia?

19. ¿Preparas el desayuno todos los días?

20. ¿Nos invitas a tu fiesta de cumpleaños?

21. ¿Me recomiendas la serie de libros de Harry Potter?

22. ¿Siempre le dices toda la verdad (*truth*) a tu mejor amigo/a?

DIRECT vs. INDIRECT OBJECT PRONOUNS

Fill in the blank with the correct indirect or direct object pronoun.

Las fiestas y los regalos:

1. Mañana es el cumpleaños de Ana. Beatriz y yo _____ compramos unos discos.

2. Raúl es el mejor amigo de Laura. Él _____ llama para invitar _____ a la fiesta.

3. A José _____ gusta mucho leer. Yo pienso regalar _____ unos libros.

4. Hoy es el aniversario de mis padres. Mi hermano y yo vamos a preparar _____ una cena especial.

5. Mis amigos _____ dicen que van a comprar _____ algo fabuloso para mi cumpleaños.

De viaje:

6. En el aeropuerto Roberto _____ guarda un puesto a Sara.

7. ¿Cuál es el número de nuestro vuelo? No _____ puedo ver.

8. A nosotros no _____ gusta Tijuana, pero a Alberto _____ gusta mucho.

9. Juana _____ dice (a mí) que _____ va a traer un regalo de su viaje.

10. --¿Dónde están Miguel y Rosa? No _____ veo por aquí. --Deben estar en la playa.

Las citas:

11. Jaime sale con Inés. Él _____ ve todos los fines de semana.

12. Felipe quiere llamar a Mercedes para invitar _____ al cine.

13. Quiero a Pilar. _____ quiero porque es simpatiquísima.

14. Mi hermana _____ pide dinero (a mí) para ir al concierto, pero no _____ puedo prestar nada.

15. --¿Van a ver la nueva película de Almodóvar? --Sí, _____ vamos a ver hoy.

16. --¿Sabes el nombre de aquel chico al lado del bar? --No, no _____ sé.

17. --¿Conoces a esa mujer que baila con Pepe? --Sí, _____ conozco muy bien.

18. ¡Enrique está enamorado (*in love*)! Siempre _____ compra rosas a su novia. A ella _____ gustan mucho las rosas.

PRÁCTICA: GUSTAR

A. *Gustar* **y los objetos indirectos.** Complete the sentences with the correct indirect object pronoun, and then circle the correct form of **gustar, encantar** or **interesar.**

1. ¿A ti _____ gusta/gustan las vacaciones de primavera?

2. A mí _____ interesa/interesan los museos arqueológicos de México.

3. A Pedro y Marta _____ encanta/encantan viajar por América Central.

4. A mi tía Paula _____ interesa/interesan las costumbres de la gente indígena.

5. A nosotros no _____ gusta/gustan los hoteles baratos.

6. A mis padres no _____ gusta/gustan la Playa de Carmen.

7. Pero a mí _____ encanta/encantan todas las playas de México.

8. ¿A Uds. _____ gusta/gustan tomar el sol y hacer esquí acuático en Acapulco?

9. A mis amigos _____ interesa/interesan una excursión con visitas culturales.

10. A los turistas _____ gusta/gustan las comidas que sirven en la playa.

B. Los gustos de los ricos y famosos. Create 5 sentences about the likes and interests of the celebrities below. At least one of your sentences should be negative.

Green Day Ryan Gosling Beyoncé Justin Bieber y Shakira Denzel Washington Christina Aguilera y Pink	+ (no) +	aburrir encantar molestar interesar

1. _____

2. _____

3. _____

4. _____

5. _____

PRÁCTICA: Double object pronouns

Imagine that you were a guest at the Trujillo's anniversary party. Explain who gave which gifts to Sr. and Sra. Trujillo, according to the drawing below. Use double-object pronouns in your answers.

1. ¿Quién les regaló el cuadro?
2. ¿Quién les hizo el pastel?
3. ¿Quién les compró el televisor?
4. ¿Quién les regaló las entradas (*tickets*) para el concierto?
5. ¿Quién les compró el libro?
6. ¿Quién les organizó la fiesta?

Now imagine that you are Marcos. Explain what different people gave you at your birthday party, according to the drawing below and again using double-object pronouns in your answers.

1. ¿Quién te dio el regalo grande?
2. ¿Quién te regaló la camisa (*shirt*)?
3. ¿Quién te compró el radio?
4. ¿Quién te hizo el pastel?
5. ¿Quién te regaló el libro?
6. ¿Quién te hizo la fiesta?

SEQUENCE OF OBJECT PRONOUNS: Traducción

Translate the sentences using double object pronouns for all answers. Pay close attention to the tense of the verb. Show your work by "unpacking" the pronouns where necessary.

> Eg.   They buy it for me. (the computer → la computadora)
> → Me la compran.
> Eg.   We will save it for them. (the seat → el asiento)
> → Se ~~Le~~ lo vamos a guardar./Vamos a guardárse~~le~~lo.

1. I **give** it to them. (the surprise → la sorpresa)

2. I **will tell** it to her. (the joke → el chiste)

3. She **buys** them for me. (the cakes → los pasteles)

4. We **write** it to you. (the post card → la postal)

5. They **will write** them to us. (the post cards → las postales)

6. We are **going to** throw it for them. (the party → la fiesta)

7. I **want** to give them to her. (the suitcases → las maletas)

8. Do you **want** to give it to her? (the money → el dinero)

9. **Will** you **get** them for me? (the hors d'ouevres → los entremeses)

10. We are **going to** give it/them to them. (the news → las noticias)

11. Is she **going to** give it to us? (the photo → la foto)

12. Mary **finds** it for us. (the book → el libro)

13. We **will give** them to them. (the gifts → los regalos)

14. **Will** he **tell** it to her? (the secret → el secreto)

15. Her parents **send** it to her. (the money → el dinero)

EL PRETÉRITO

REGULAR VERBS

-AR	-ER	-IR
-é	-í	-í
-aste	-iste	-iste
-ó	-ió	-ió
-amos	-imos	-imos
-asteis	-isteis	-isteis
-aron	-ieron	-ieron

TIME MARKERS: anoche, ayer, anteayer, la semana pasada, el año pasado, el lunes pasado

I. Change the following sentences to the preterite.

1. Fabio viaja (*travels*) mucho. El año pasado _____

2. No escribes muchas cartas. La semana pasada _____

3. Comemos bien en el Mesón. Anoche _____

4. Juan llega hoy de Costa Rica. _____ ayer.

5. Toman el tren a la costa. El año pasado _____

6. Uds. trabajan mucho. Anoche _____

7. La agencia abre temprano. Ayer _____

8. Ofrecemos precios bajos. El año pasado _____

9. Volvemos a las once. Anoche _____

II. Preguntas personales

1. ¿Te divertiste mucho el verano pasado?

2. ¿Te regalaron un coche tus padres para tu cumpleaños?

3. ¿Dónde comieron tus compañeros de cuarto ayer?

4. ¿Cuánto dinero pagaste la última vez que cenaste en un restaurante elegante?

5. ¿Te lavaste los dientes antes de dormirte anoche?

PRÁCTICA: SPELLING CHANGES IN THE PRETERITE

Verbs that end in **-car, -gar,** and **-zar** show a spelling change in the first person only.

-car		**-gar**		**-zar**	
buscar	busqué	pagar	pagué	comenzar	comencé
	buscaste		pagaste		comenzaste
	buscó		pagó		comenzó
tocar	toqué	llegar	llegué	almorzar	almorcé
	tocaste		llegaste		almorzaste
	tocó		llegó		almorzó

-AR and **-ER** stem-changing verbs show no stem change in the preterite.

Yo vuelvo. →   Yo volví.   Yo pienso. →   Yo pensé.
Ellos juegan. →   Ellos jugaron.   Tú almuerzas. →   Tú almorzaste.
Ellos comienzan. → Ellos comenzaron.

Also, an unstressed **i** between vowels becomes **y**.

    leer   →   leí, leíste, leyó, leímos, leísteis, leyeron
    creer →   creí, creíste, creyó, creímos, creísteis, creyeron

Change the following sentences to the preterite.

1. Saco muchas fotos.
2. Él busca el mercado.
3. Leemos un libro sobre México.
4. Juego al vólibol en la playa.
5. Llego a Madrid mañana.
6. María lee la tarjeta postal.
7. Almuerzo en el café de la plaza.
8. Pago los libros con cheque.
9. Comienzan su clase mañana.
10. ¿Cuándo vuelves a la universidad?
11. Se despiertan tarde y pierden el bus.
12. Empiezo a hacer la comida ahora.

1. El año pasado _____
2. Ayer _____
3. La semana pasada _____
4. Anoche _____
5. _____ anteayer.
6. Ayer _____
7. El lunes _____
8. El año pasado _____
9. _____ la semana pasada.
10. ¿ _____, ayer o anteayer?
11. Ayer _____
12. Anoche _____

EL PRETÉRITO: Un asesinato (*murder*)

There's been a murder in the elevator of the apartment building at Calle de las Calzadas, 29, and the police are taking reports from several people who were at the scene of the crime. Is one of these people lying? Complete each person's statement with the correct Spanish forms of the verbs in parentheses.

Catalina Alarcón de Sastre, abuela, 72 años

Pues, a ver... (*I left* - salir) 1. _____ de mi casa a las ocho

y cuarto, y fui (*I went*) al mercado para hacer las compras. Allí (*I bought* - comprar)

2. _____ fruta, carne y pan. También (*I spoke* - hablar) 3. _____

un rato con doña Luisa. Después... ¿qué hice (*did I do*) después? Ah, sí... (*I passed* - pasar)

4. _____ por la farmacia por unas aspirinas. (*I returned* - regresar)

5. _____ a casa a las nueve. Cuando (*I entered* - entrar)

6. _____ al ascensor (*elevator*), (*I saw* - ver) 7. _____ al

hombre muerto, y (*I screamed* - gritar) 8. _____ "¡Socorro! ¡Socorro!"

Cuando (*arrived* - llegar) 9. _____ el portero, don Ramón, yo (*fainted* -

desmayarse) 10. _____ y él (*called* - llamar) 11. _____ a la

policía. ¡Qué susto, por Dios!

Jaime Durante, 20 años

Bueno, (*I woke up* - despertarse) 1. _____ tarde, a las nueve menos

cuarto. (*I bathed* - bañarse) 2. _____ y (*I got dressed* - vestirse) 3.

_____ rapidísimo. (*I drank* - tomar) 4. _____ un café negro y

después (*I left* - salir) 5. _____ corriendo para la universidad. Cuando (*I

tried* - intentar) 6. _____ entrar al ascensor, oí (*I heard* - oír)

7. _____ la voz de doña Catalina, gritando. (*I thought* - pensar)

8. _____ que necesitaba ayuda, y por eso (*I returned* - volver)

9. _____ a mi apartamento y (*I called* - llamar) 10. _____ al hospital. La ambulancia (*arrived* - llegar) 11. _____ en diez minutos. Fue (*It was*) entonces cuando don Ramón me (*explained* - explicar) 12. _____ qué pasó. ¡Qué horrible! Y para colmo (*to top if off*), (*I missed* - perder) 13. _____ mi clase.

Ramón Torrijo, portero (*doorman*), 57 años

Pues, de verdad no sé nada. (*I went out* - salir) 1. _____ a la calle a las ocho y media, y (*I sat down* - sentarse) 2. _____ en la silla que está afuera para descansar un poco. (*I smoked* - fumar) 3. _____ un cigarrillo y (*I read* - leer) 4. _____ el periódico. A las nueve menos cinco, (*rang* - sonar) 5. _____ el teléfono de pasillo, y lo (*I answered* - contestar) 6. _____. Pero (*happened* - pasar) 7. _____ algo raro: cuando lo (*I answered* - contestar) 8. _____, no había (*there wasn't*) nadie. (*I asked* - Preguntar) 9. _____: "¿Quién es? ¿Quién habla?" (*I listened* - escuchar) 10. _____ and (*I waited* - esperar) 11. _____ unos segundos, pero nada. Fue (*It was*) entonces cuando (*returned* - regresar) 12. _____ doña Catalina. Ella (*entered* - entrar) 13. _____ al ascensor y casi inmediatamente (*began* - empezar) 14. _____ a gritar. ¡Qué día! ¡Vaya por Dios!

F. El pretérito. On a separate sheet, write a paragraph about last weekend. Include details about what you did, using the verbs below.

MODELO: El sábado, me levanté tarde...

Verbos útiles:
levantarse   comer   salir   comprar   hablar   jugar   ver   volver   acostarse

III. ¿Qué dices? What would you say in the following situations?

1. The waiter forgets to bring you the menu.

2. You want some more water.

3. Your soup is cold.

4. You want to order another dish.

5. You need the bill.

IV. Diálogo. Write an eight-line dialogue between any two people pictured in the drawing below. The dialogue should include a description of what one of the people just ate and what they are going to do after leaving the cafeteria.

BINGO: La comida

_____ almuerza en casa a veces.	_____ sabe cocinar muy bien.	A _____ no le gusta el pescado.	_____ toma muchísimo café.
_____ es vegetariano/a.	_____ está a dieta.	_____ toma vitaminas todos los días.	A _____ no le gusta la comida mexicana.
A _____ le gustan los tacos.	_____ no desayuna nunca.	_____ La comida favorita de _____ es la pizza.	El restaurante favorito de _____ es "McDonalds".
_____ no toma cerveza.	_____ es alérgico/a al chocolate.	_____ come en la biblioteca a veces.	_____ toma una copa de vino tinto al día.
_____ va a cenar fuera esta noche.	_____ come en una cafetería universitaria.	_____ siempre tiene hambre en la clase de español.	A _____ le gusta trabaja como camarero/a.
		_____ come algo antes de acostarse.	_____ cena mientras ve la televisión.
		_____ no cocina nunca.	_____ nunca tiene tiempo de almorzar.
		_____ no lava los platos después de comer.	

ENTREVISTA: ¿Qué comidas te gustan?

First, complete the chart with your opinions of the following items using the scale below. Then find out a classmate's likes and dislikes and answer his/her questions about your own opinions. Remember to phrase your questions with the expression "Te gusta(n)...?"

Escala de valores: **1** = ¡Sí, me gusta(n) muchísimo!/¡Sí, me encanta(n)!
 2 = Sí, me gusta(n).
 3 = ¡No, no me gusta(n) para nada!/¡No, me molesta(n)!

Yo		Mi compañero/a
	las verduras	
	los desayunos grandes	
	la barbacoa	
	cenar en restaurantes elegantes	
	preparar comida en casa	
	la pizza con anchoas (*anchovies*)	
	la comida vegetariana	
	el café	
	las galletas de chocolate	
	la comida china	

Speaking Activities

GUIDED WRITING AND SPEAKING: En la cafetería

A. Using the picture and your imagination, answer the following questions in complete Spanish sentences. Pay careful attention to the way the questions are phrased in order to use the correct structures in your answers.

Teresa   Leo

los atletas

Carlos

1. Why doesn't Carlos like to eat with the other students?
2. Does the cook (**el cocinero**) know how to cook well?
3. What kind of food do the athletes prefer to eat?
4. After eating, what are the athletes going to do?
5. Why is Teresa happy?
6. Does Carlos know anyone in the cafeteria?
7. How hungry are the athletes today?
8. Who is smarter, Carlos or Leo?

B. Imagine you're a new student who eats at this cafeteria. Write an email to your family or a friend about whom you know and whom you want to meet, what you eat, and what you like and don't like about the cafeteria.

C. With a partner, role-play a dialogue between any two characters in the drawing.

Communicative Goals Practice #3

Try to talk about the restaurant scene below for 60 seconds. "Show off" all you have learned up to this point in the semester. Check the **Communicative Goals** boxes at the beginning of each chapter of your Supplement to see all that you should be able to do. For this third oral proficiency practice, the following categories are suggested. Try to use connectors (**porque, pero, y, también, por eso**) to make your description sound more fluent and natural.

1. time
2. description (age, personality, physical appearance, clothing)
3. family relationships
4. food likes and dislikes (what bores them, what they love to eat, etc.)
5. actions taking place right now
6. future plans
7. comparisons

After you've finished your description, imagine you are talking to the characters in the drawing. Ask at least two questions to one or more characters.

Key Language Functions: Description, Comparison, Expressing Likes and Dislikes and Narration in the Past

At this point in the course you should be able to describe, compare, discuss likes and dislikes, and narrate past events. The chart below shows the linguistic tools needed to perform these four key language functions accurately.

DESCRIBIR **D**	To construct a description →	Vocabulary →	Linguistic Tools Needed: • **ser** vs. **estar** • noun-adjective agreement
COMPARAR **C**	To construct a comparison →	Vocabulary →	Linguistic Tools Needed: • noun-adjective agreement • **más/menos...que** • **tan...como** • **tanto/as/os/as...como**
GUSTOS **G**	To construct a statement → expressing likes and dislikes	Vocabulary →	Linguistic Tools Needed: • **Gustar**-type constructions • Indirect-object pronouns
PASADO **P**	To construct a narration → of a series of past events	Vocabulary →	Linguistic Tools Needed: • Preterite verb forms

Take turns with a partner talking about the following topics. Remember to pay attention to the linguistic tools (the grammar rules) you need to speak or write accurately.

- Describe a five-star hotel. Include the kinds of services they offer and how people feel when they go there.
- Describe a romantic restaurant. Include what they serve and how people feel when they go there.

- Compare two restaurants that you frequent.
- Compare how you feel after a great weekend with the way you feel after summer vacation.

- Talk about what you like and what bothers you about living with your parents.
- Talk about what you think your instructor likes to do on weekends and what things interest him/her.

- Talk about what you did yesterday from the time you got up until the time you went to bed.
- Describe the last time you ate dinner at a restaurant, including who you were with, what you ordered, ate, and drank, and what you talked about.

Speaking Activities

CAPÍTULO
7

Communicative Goals for Chapter 7
By the end of the chapter you should be able to:

- discuss clothing and shopping ❑
- ask for and give prices ❑
- talk more about past events ❑
- talk about accidents and problems ❑

Grammatical Structures
You should know:

- irregular preterite verb forms ❑
- stem changing preterite forms ❑
- impersonal and passive *se* ❑
- *se* + indirect object pronoun ❑

PRONUNCIACIÓN

Listen and repeat as your instructor pronounces the following sentences. Then practice with a partner.

1. No hay ningún cinturón en el centro comercial.
2. En el puesto pequeño nos ayuda el dueño.
3. ¿Regateaste cuando compraste esa corbata de rayas blancas?
4. Recibimos canastas (*baskets*) de Jalapa, Oaxaca, Guanajuato e Isla Mujeres.
5. La falda roja va bien con la camisa amarilla.

PRONUNCIACIÓN: Los sonidos *g, gu* y *j*

Listen as your instructor says these Spanish idiomatic expressions, then repeat. Match the Spanish expression with its English equivalent.

_____ 1. Ni decir jota.

_____ 2. Echar un jarro de agua fría.

_____ 3. De ninguna manera.

_____ 4. ¡Qué aguafiestas!

_____ 5. Me da igual.

_____ 6. No saber ni jota.

_____ 7. Se me hizo un nudo en la garganta.

_____ 8. Muy lejos, en el quinto pino.

a. What a party-pooper!

b. No way.

c. To know absolutely nothing.

d. Not to say a word.

e. Miles from anywhere.

f. I got a lump in my throat.

g. To put a damper on it.

h. It's all the same to me.

A. El inventorio del Almacén Matilde. Your instructor will read the list of clothing items, the number of each item left in the store at the end of the year, and the price in Mexican pesos of each unit. Write the articles, the number and price in the chart below.

Artículos	Número (cantidad)	Precio c/u

B. Gran rebajas en Zara. You will hear prices for various clothing items on sale at ZARA in Santiago, Chile. Write the prices in pesos as your instructor reads them.

ZARA
los precios más bajos en ropa de invierno para mujeres y hombres

ROPA PARA HOMBRES   ROPA PARA MUJERES

LISTENING COMPREHENSION: Accidentes y travesuras

You will hear a series of short passages about the people in the drawings below. The first time you listen, identify each person or group by writing their names next to the corresponding drawing. The second time, listen for the details you need to correct the false statements below.

Now correct these statements based on what you hear.

1. Pedro tiene una cita con el dentista esta tarde.
2. La fecha límite para el proyecto de Pedro fue ayer.
3. Los hijos de Cristina no se olvidaron de su cumpleaños.
4. Jorge siempre tiene mucho cuidado en la cocina.
5. A Fernanda y Juan se les perdieron sus jerseys en la playa (beach).
6. Isa odia su trabajo, y va a buscar otro muy pronto.
7. Roberto no sabe qué decir porque llegó muy tarde a la fiesta.

PRÁCTICA: SPELLING CHANGES IN THE PRETERITE

Verbs that end in **-car**, **-gar**, and **-zar** show a spelling change in the first person only.

<table>
<tr><td colspan="2" align="center">-car</td><td colspan="2" align="center">-gar</td><td colspan="2" align="center">-zar</td></tr>
<tr><td>buscar</td><td>busqué
buscaste
buscó</td><td>pagar</td><td>pagué
pagaste
pagó</td><td>comenzar</td><td>comencé
comenzaste
comenzó</td></tr>
<tr><td>tocar</td><td>toqué
tocaste
tocó</td><td>llegar</td><td>llegué
llegaste
llegó</td><td>almorzar</td><td>almorcé
almorzaste
almorzó</td></tr>
</table>

-AR and **-ER** stem-changing verbs show no stem change in the preterite.

Yo vuelvo. →   Yo volví.   Yo pienso. →   Yo pensé.
Ellos juegan. →   Ellos jugaron.   Tú almuerzas. → Tú almorzaste.
Ellos comienzan. → Ellos comenzaron.

Also, an unstressed **i** between vowels becomes **y**.

      leer   →   leí, leíste, leyó, leímos, leísteis, leyeron
      creer →   creí, creíste, creyó, creímos, creísteis, creyeron

Change the following sentences to the preterite.

1. Saco muchas fotos.
2. Él busca el mercado.
3. Leemos un libro sobre México.
4. Juego al vólibol en la playa.
5. Llego a Madrid mañana.
6. María lee la tarjeta postal.
7. Almuerzo en el café de la plaza.
8. Pago los libros con cheque.
9. Comienzan su clase mañana.
10. ¿Cuándo vuelves a la universidad?
11. Se despiertan tarde y pierden el bus.
12. Empiezo a hacer la comida ahora.

1. El año pasado _____
2. Ayer _____
3. La semana pasada _____
4. Anoche _____
5. _____ anteayer.
6. Ayer _____
7. El lunes _____
8. El año pasado _____
9. _____ la semana pasada.
10. ¿ _____, ayer o anteayer?
11. Ayer _____
12. Anoche _____

EL PRETÉRITO

Complete the passages with the preterite of the verbs in parentheses.

A. Una cena con amigos.

La semana pasada, Julio (decidir) 1. _____ invitar a unos amigos a cenar. El jueves, (ir - yo) 2. _____ con Julio para comprar los ingredientes para un arroz con pollo. El viernes, Julio y yo (volver) 3. _____ a casa después de clase para limpiar la casa. Él (pasar) 4. _____ la aspiradora y (sacudir - yo) 5. _____ los muebles. Después, (bañarse - yo) _____ y Julio (afeitarse) 7. _____. Luego, Julio preparó la cena y juntos, nosotros (poner) 8. _____ la mesa.

A las ocho, nuestros amigos (llegar) 9. _____. Ellos nos (traer) 10. _____ unas flores que (poner - yo) 11. _____ encima de la mesa. Hablamos un ratito y después (ir - nosotros) 12. _____ al comedor para cenar. ¡Qué rico (estar) 13. _____ el arroz con pollo! Después, (preparar - yo) 14. _____ el café y se lo (servir) 15. _____ a todos.

Nuestros amigos (quedarse) (*to stay*) 16. _____ hasta las tres de la madrugada. ¡Cuánto (divertirse - nosotros) 17. _____ y nos reímos (*laughed*)! Esa noche Julio y (dormir - yo) 18. _____ como troncos. Nosotros no (levantarse) 19. _____ hasta las dos al día siguiente. (Estar - yo) 20. _____ cansado todo el día y no (poder) 21. _____ hacer nada.

B. Un aniversario de bodas.

Para su quinto aniversario de bodas, Antonio y Carmen (hacer) 1. _____ una fiesta. (Invitar) 2. _____ a todos sus parientes y amigos. Antonio (preparar) 3. _____ y (servir) 4. _____ unos entremeses riquísimos. No (faltar) (*to miss*) 5. _____ nadie (*no one*) a la fiesta, y todos les (traer) 6. _____ regalos preciosos. Yo les (regalar) 7. _____ un álbum de fotos, y de los padres de Carmen, (recibir - ellos) 8. _____ unas copas de cristal. En la fiesta, Antonio le (leer) 9. _____ un poema de amor a Carmen. Ella (ponerse) 10. _____ a llorar. Después, (calmarse - ella) 11. _____ , y todos nosotros (divertirse) 12. _____ muchísimo.

C. Una fiesta de sorpresa.

La última vez que (dar - yo) 1. _____ una fiesta, (ser) 2. _____ un desastre. (Querer - yo) 3. _____ hacer una fiesta de sorpresa para el cumpleaños de mi compañera de casa, Lourdes, pero todo (salir) 4. _____ mal. (Empezar - yo) 5. _____ por invitar a unos quince amigos. Les (pedir - yo) 6. _____ ayuda con los refrescos y los entremeses, y todos me (decir) 7. _____ que sí. Bueno...el día de la fiesta, Lourdes (enfermarse) 8. _____. (Volver - ella) 9. _____ a casa y (acostarse) 10. _____. Me (decir) 11. _____: "No salgo de aquí. Me siento fatal". (Ponerse - yo) 12. _____ casi histérica. ¿Cómo hacer los preparativos con Lourdes en la casa enferma?

(Pensar - yo) 13. _____ un rato, y por fin (tener) 14. _____ una idea. (Preparar - yo) 15. _____ un té con limón para Lourdes. En el té, (poner - yo) 16. _____ una pastilla (*pill*) para dormir. Se lo (servir - yo) 17. _____, (cerrar) 18. _____ la puerta de su alcoba y (comenzar) 19. _____ a limpiar la casa en silencio. Pasó una hora, y (llegar) 20. _____ unos invitados. Pasó media hora más y (venir) 21. _____ otros. Al final, (terminar - nosotros) 22. _____ de hacer los preparativos. (Ir - nosotros) 23. _____ a la sala, (sentarse) 24. _____ y (esperar) 25. _____.

Bueno...Lourdes no (despertarse) 26. _____ aquella noche. (Dormir - ella) 27. _____ doce horas seguidas y (perderse) 28. _____ la fiesta. Los invitados (esperar) 29. _____ una hora, dos horas... y después me (dejar - ellos) 30. _____ sola en casa con toda la comida lista, la música, el pastel, todo. Cuando Lourdes (salir) 31. _____ de su alcoba al día siguiente y (ver) 32. _____ todo, me (preguntar) 33. _____: "Pero, chica, ¿qué es esto? ¿No sabes que mi cumpleaños fue ayer?"

PRÁCTICA: Irregular and stem-changing preterites

¡Qué cambios más raros! With the full moon, strange things happen. Fill in the blanks with the correct preterite forms to indicate what happened when the moon was full.

1. Típicamente los niños **duermen** muy bien, pero anoche _____ muy mal.

2. Doña Lupe siempre me **dice** "Buenas noches", pero anoche no me _____ nada.

3. Casi nunca **tengo** problemas con la tarea, pero anoche _____ muchísimos problemas con hacerla.

4. Por lo general, **puedo** terminar la tarea en una hora, pero anoche no _____ terminarla antes de las once.

5. Mis amigos generalmente **vienen** a verme por la tarde, pero ayer no _____.

6. La tía Susana casi siempre **se pone** ropa elegantísima, pero ayer _____ unos bluejeans viejos y una camiseta sucia.

7. Pablo casi nunca **está** enfermo, pero _____ mal todo el día ayer.

8. Mi novio me **trae** una flor todos los días, pero ayer no me _____ nada.

9. Generalmente no **hay** muchas fiestas en mi casa de apartamentos, pero anoche _____ tres o cuatro.

10. Siempre **sirven** comida riquísima en Casa Paco, pero anoche me _____ una cena horrible.

11. Mi hijo generalmente **pide** helado de postre, pero anoche _____ pastel de chocolate.

12. Mamá generalmente **se siente** feliz, pero ayer _____ muy triste.

13. Julia y Pablito **se divierten** cuando están juntos, pero ayer no _____ para nada.

14. Típicamente, el Sr. Varela **se despide** de su esposa y sale de casa a las ocho de la mañana, pero ayer no _____ hasta las nueve y media.

15. Los niños típicamente **se visten** muy lento, pero ayer _____ muy rápido.

16. Generalmente mi amigo Raúl **puede** ayudarme con la clase de química, pero anoche él no _____ entender la tarea tampoco.

REPASO: CAPÍTULO 7

I. Vocabulario

A. 1. ¿Qué ropa llevamos en julio? ¿en diciembre? ¿en abril?

2. ¿Qué ropa generalmente llevas a clase?

B. ¡Qué desastre! You picked up someone else's suitcase at the airport. For the lost baggage form, describe some of the unique items in the suitcase you picked up, then describe the unique items in your own suitcase. Be careful with agreement.

<u>Someone else's suitcase</u>

an old suit_____

a grey bathing suit _____

a red jacket_____

purple socks_____

<u>Your suitcase</u>

an orange shirt _____

some new sandals _____

yellow shorts _____

a blue and red dress _____

En la otra maleta (*suitcase*), hay:

_____

_____

Pero en <u>mi</u> maleta hay:

_____

_____

II. Gramática

A. <u>Irregular Preterite Forms</u>. Fill in the chart below.

Presente	Pretérito
1. pongo	1. _____
2. duermen	2. _____
3. _____	3. empecé
4. _____	4. supe
5. puede	5. _____
6. sirven	6. _____

B. <u>Irregular and Stem-Changing Preterites</u>. Complete the passage about Ángela's awful day with the correct form of the verb in parentheses.

Anoche ella (poner) 1._____ el despertador para las seis.

(Dormir) 2._____ muy mal y por eso, (despertarse)

3._____ tarde, a las siete y media. Se bañó y (vestirse)

4._____ muy rápido, pero llegó tarde a la oficina. Su jefe (ponerse)

5._____ muy enojado, y le (decir) 6._____:

"Angela, vas a tener que terminar todo este trabajo hoy". A mediodía, ella (almorzar)

7._____ en un restaurante cerca de su oficina. Comió muy rápido y

(volver) 8._____ a la oficina casi inmediatamente. Por eso, no

(sentirse) 9._____ bien toda la tarde. Y (estar)

10._____ trabajando hasta las diez de la noche.

C. <u>La fiesta de Steven Spielberg</u>. Your friend Andrés crashed Steven Spielberg's party last night. Ask him about it, forming questions from the infinitive phrases.

MODELO: estar en la fiesta anoche (tú) → ¿Estuviste en la fiesta anoche?

1. servir entremeses ricos (ellos)

2. venir muchos actores famosos

3. saber el teléfono de Halle Berry (tú)

4. poder hablar con Leonardo DiCaprio (tú)

5. traerle un regalo a Steven (tú)

6. conseguir el autógrafo de Jessica Alba (tú)

7. divertirse todos

D. Impersonal and Passive se. Answer the following questions in complete sentences.

1. Para una boda, ¿qué se lleva típicamente?

    _____

2. Para jugar en la nieve, ¿qué se pone en las manos?

    _____

3. En tu ciudad, ¿dónde se compran regalos o artesanías?

    _____

4. En tu opinión, ¿en qué restaurante se sirve el mejor sándwich?

    _____

5. ¿Qué colores se usan para representar tu universidad?

    _____

6. ¿En qué situaciones se regatea en Estados Unidos, normalmente?

    _____

E. Unplanned or unexpected events. Complete the sentences with the "se" construction and the verbs in parentheses. Use present tense or preterite, according to the context.

1. Al principio del año académico, ¿_____ (olvidar) sus horarios a los estudiantes?

2. Ayer a José _____ (perder) un documento en la clase.

3. A nosotros siempre _____ (acabar) la cerveza en las fiestas.

4. Ayer a la profe _____ (caer) encima el café.

F. Unplanned events. ¿Qué pasó el fin de semana pasado? Using the "se" construction with the following verbs, write what happened to each of the people at Juan's party.

perder	romper	acabar	caer	olvidar

1. _____

2. _____

3. _____

4. _____

5. _____

III. **Diálogos.** Use the chapter vocabulary and the expressions from your text to help you create a dialogue based on one of the three situations below. Be prepared to role-play your dialogue with a partner for the class.

1. You were supposed to meet a friend for coffee at 3:00, but you didn't arrive until 4:00. Create a conversation between you and your friend in which you:
   a) apologize and explain why you were late (use the "se" for unplanned occurrences and mention 2 things which happened to you) and
   b) make plans for another activity with the friend.

2. Five minutes before Spanish class, you realize you don't have your composition. With your professor, create a conversation in which you:
   a) explain what happened to your composition (use the "se" for unplanned events and mention 2 things which happened) and
   b) find a solution to the problem.

3. You borrowed an expensive designer shirt from your roommate and you spilled hot sauce on it at a party. Create a conversation between you and your roommate in which you:
   a) apologize and explain what happened (use the "se" for unplanned events and mention 2 things which happened) and
   b) suggest a solution to your roommate.

BINGO: Los gustos

_____ tomar el sol	_____ los tejidos	_____ andar en bicicleta	_____ cocinar	_____ los dulces
_____ sacar fotos	_____ los países exóticos	_____ los aretes	_____ practicar un deporte	_____ las películas extranjeras
_____ las comidas orgánicas	_____ el arte	_____ las montañas	_____ las ciudades grandes	_____ la ropa de última moda
_____ los vestidos de Gucci	_____ pasar tiempo con la familia	_____ escuchar música	_____ las vacaciones de verano	_____ los huevos
_____ cenar en restaurantes elegantes	_____ los zapatos de tacón alto	_____ los idiomas extranjeros	_____ navegar en Internet	_____ las islas tropicales

ENTREVISTA: ¿Qué ropa tienes?

How well do you know your classmates? Can you predict the content of their closets? Find classmates who have the items below by asking questions, following the model. If your classmate answers **sí**, have him/her sign the correct blank. If s/he answers **no**, keep asking until you find someone who answers affirmatively.

MODELO:	Find someone who has a red hat.
You ask a classmate:	¿Tienes un sombrero rojo?
Your classmate answers:	¡Sí!
You say:	Firma aquí, por favor.

Find someone who has:

. . . some orange socks _____

. . . a cheap watch _____

. . . a silk dress _____

. . . an old tie _____

. . . a pair of red shoes _____

. . . a purple sweater _____

. . . some expensive boots _____

. . . a Boston Red Sox t-shirt _____

. . . a leather skirt (**de cuero**) _____

. . . some Mexican sandals _____

Speaking Activities

Round Robin: Grammar Monitor Activity

In this activity you will work in groups of three. Each partner will alternate roles until all three of you have (1) described what one of the characters usually does and what he/she did differently this past Saturday; (2) asked questions to get more information; and (3) served as the grammar monitor.

Partner A: Describe three things one of the characters usually does on Saturdays and then say what three things he/she did differently this past Saturday. Example: *Generalmente, ... pero el sábado pasado...* Use your imagination. Don't forget your connectors: *primero, luego, entonces, después.*

Partner B: Listen carefully as Partner A talks about the activities of one of the characters. Then ask two questions to get more information about his/her activities.

Partner C: As the grammar monitor, your job is to listen for the correct preterite verb forms. Write down the six verbs you hear. Pay special attention to the pronunciation of the preterite verbs (**pasó, regresó,** etc). When Partners A and B are finished, give them feedback on whether or not they are forming the preterite correctly and whether they are putting the stress on the accented last syllable.

Now switch roles. Partner A takes the role of Partner B (the person asking questions), Partner B takes the role of Partner C (the grammar monitor), and Partner C takes the role of Partner A (the describer of activities in the present and past).

GUIDED WRITING AND SPEAKING: En la fiesta de los García

A. Using the picture and your imagination, answer the following questions in complete Spanish sentences. Pay careful attention to the way the questions are phrased in order to use the correct structures in your answers.

1. Who gave the party for the Garcías?
2. What did Roberto and Luisa give to Manuel and Isabel?
3. When did Marisa meet Leo?
4. Where are Marisa and Leo going after the party?
5. Did Susanita have a good time at the party? Why?
6. What did they serve at the party?
7. Why didn't Isabel's sister attend the party?
8. How did Félix and Susanita behave?
9. How much money did Roberto and Ana spend on their presents?
10. Who got upset when the party ended?

B. Imagine you are one of the characters pictured in the drawing. Write a letter to one of your cousins who was not able to attend the anniversary party. Talk about what you did at the party, what your relatives served and what gifts your grandparents received.

C. With a partner, role-play a dialogue between any two of the characters in the drawing.

Communicative Goals Practice #4

Try to talk about the party scene below for 60 seconds. "Show off" all you have learned up to this point in the semester. Check the **Communicative Goals** boxes at the beginning of each chapter of your Supplement to see all that you should be able to do. For this oral proficiency practice, the following categories are suggested. Try to use connectors (**porque, pero, y, también, por eso**) to make your description sound more fluent and natural.

1. description (age, personality, physical appearance, clothing)
2. likes and dislikes
3. description of feelings
4. actions taking place right now
5. what people did last weekend
6. comparisons
7. future plans

After you've finished your description, imagine you are talking to the characters in the drawing. Ask at least two questions to one or more characters.

Key Language Functions: Description, Comparison, Expressing Likes and Dislikes and Narration in the Past

At this point in the course you should be able to describe, compare, discuss likes and dislikes, and narrate past events. The chart below shows the linguistic tools needed to perform these four key language functions accurately.

DESCRIBIR D	To construct a description →	Vocabulary →	Linguistic Tools Needed: • **ser** vs. **estar** • noun-adjective agreement
COMPARAR C	To construct a comparison →	Vocabulary →	Linguistic Tools Needed: • noun-adjective agreement • **más/menos...que** • **tan...como** • **tanto/as/os/as...como**
GUSTOS G	To construct a statement → expressing likes and dislikes	Vocabulary →	Linguistic Tools Needed: • **Gustar**-type constructions • Indirect-object pronouns
PASADO P	To construct a narration → of a series of past events	Vocabulary →	Linguistic Tools Needed: • Preterite verb forms

Take turns with a partner talking about the following topics. Remember to pay attention to the linguistic tools (the grammar rules) you need to speak or write accurately.

- Describe a favorite outfit. Include the kind of fabric, color, accessories and what time of year you wear it.
- Describe your favorite actor's clothing style and personality.

- Compare two stores that you frequent.
- Compare how you feel after a great weekend with the way you feel on Monday afternoon.

- Talk about what you like and what bothers you about going shopping for clothes.
- Talk about what you think your instructor likes to do on the weekend and what things bore/annoy him/her.

- Talk about what you did today from the time you got up until now.
- Talk about your most recent visit to a family gathering.

CAPÍTULO
8

Communicative Goals for Chapter 8

By the end of the chapter you should be able to:

- tell others what to do ❏
- talk about what you used to do ❏
- describe past conditions and states ❏
- talk about rural communities ❏
- talk about urban communities ❏

Grammatical Structures

You should know:

- informal command verb forms ❏
- adverbs ❏
- regular imperfect verb forms ❏
- irregular imperfect verb forms ❏

PRONUNCIACIÓN

Listen to your instructor pronounce the following sentences, then practice with a partner.

En México excelentes expertos explican a excelentes expertos que para ser excelentes expertos no hay que ser excelentes expertos en México, sino excelentes expertos mexicanos en México.

LISTENING COMPREHENSION: ¿Qué pasa en la playa (beach)?

The first time you hear the description, write the names of the people mentioned on the drawing. The second time, listen for the answers to the questions below the drawing.

1. ¿Adónde van a ir Guillermo y Lourdes esta noche?

2. ¿Jugó Inés vólibol el año pasado? ¿Por qué?

3. ¿Por qué está preocupado Rolando?

4. ¿Qué debe hacer el Sr. Bravo en vez de leer el periódico?

REFERENCE SHEET FOR COMMANDS

	FORMAL (USTED / USTEDES)		INFORMAL
hablar ("-ar" verbs)	hable no hable	hablen no hablen	habla no hables
comer ("-er" verbs)	coma no coma	coman no coman	come no comas
escribir ("-ir" verbs)	escriba no escriba	escriban no escriban	escribe no escribas
oír	oiga no oiga	oigan no oigan	oye no oigas
venir	venga no venga	vengan no vengas	ven no vengas
salir	salga no salga	salgan no salgan	sal no salgas
hacer	haga no haga	hagan no hagan	haz no hagas
decir	diga no diga	digan no digan	di no digas
dar	dé no dé	den no den	da no des
volver	vuelva no vuelva	vuelvan no vuelvan	vuelve no vuelvas

PRÁCTICA: Informal commands

Your young nephew is visiting and wants to play with all your stuff. Answer his questions and explain what he can and cannot do in your house. Follow the cues in parentheses and use informal commands and object pronouns in your answer.

MODELO: ¿Puedo **poner** el radio? (Sí) → Sí, está bien. Ponlo si quieres.
                 ¿Puedo **usar** la cámara de video? (No) → No, no está bien. No la uses.

1. ¿Puedo **usar** la computadora? (No)

2. ¿Puedo **sacarte** una foto? (Sí)

3. ¿Puedo **poner** la mesa? (Sí)

4. ¿Puedo **decirte** la verdad? (No)

5. ¿Puedo **limpiar** el acuario? (Sí)

6. ¿Puedo **sacar** los peces del acuario? (No)

7. ¿Puedo **manejar** tu moto? (No)

8. ¿Puedo **sentarme** en tu coche? (Sí)

9. ¿Puedo **tocar** tus trofeos? (Sí)

10. ¿Puedo **sugerirte** un plato? (No)

11. ¿Puedo **probar** tu comida? (Sí)

12. ¿Puedo **dormirme** aquí? (Sí)

13. ¿Puedo **leer** tu email? (No)

14. ¿Puedo **romper** la computadora? (No)

15. ¿Puedo **vender** estos DVDs? (Sí)

16. ¿Puedo **conducir** el autobús? (No)

MANDATOS Y CONSEJOS

Are you good at giving advice and helping people with their problems? Work with a classmate to come up with some suggestions for people in one of the following situations. Write your suggestions in informal commands and use both affirmative and negative commands to give your advice.

Cómo ser un/a buen/a compañero/a de cuarto

Sí	No
1.	1.
2.	2.
3.	3.

Cómo sobrevivir la clase de español

Sí	No
1.	1.
2.	2.
3.	3.

Cómo pasarlo bien en esta ciudad

Sí	No
1.	1.
2.	2.
3.	3.

Cómo tener una buena relación con tu pareja

Sí	No
1.	1.
2.	2.
3.	3.

EL IMPERFECTO: Introducción

The imperfect (**A**) describes background information about people, places and things in the past; (**B**) describes what was going on in the past before something else happened; and (**C**) explains habitual actions in the past.

A. Set the scene by describing background information about time, weather, and age. Use the imperfect for each of the following pictures.

1. _____

2. _____

3. _____

4. _____

Set the scene by describing physical and emotional conditions in the past. Use the imperfect to describe Leo's room, how Rosa, Mari, and Diego looked at the prom, and how Rafael felt while watching the movie.

5. El cuarto de Leo _____

6. Rosa y Mari _____

7. Diego _____

8. Rafael _____

B. Describe what was going on before something else happened. Use the imperfect to tell what each person in the house was doing when la tía Tatiana arrived.

1. Beatriz _____ cuando llegó la tía.

2. Tomás _____ cuando llegó la tía.

3. Inés _____ cuando llegó la tía.

4. Gregorio _____ cuando llegó la tía.

C. Talk about habitual actions in the past. Use the imperfect to describe what Pablo used to do when he was young. Mention five activities.

_____

_____

_____

_____

PRÁCTICA: El imperfecto

A. <u>Mi niñez en México</u>

Cuando yo (ser) 1.＿＿＿＿＿＿＿＿＿ joven, (vivir) 2.＿＿＿＿＿＿＿＿＿ en Jalapa, México. Todos los domingos mi familia (ir) 3.＿＿＿＿＿＿＿＿＿ a la casa de mis abuelos para almorzar. Al llegar, mi padre 4.＿＿＿＿＿＿＿＿＿ (hablar) con mis tíos sobre las noticias, y mi madre y sus hermanas (ayudar) 5.＿＿＿＿＿＿＿＿＿ a mi abuela en la cocina. Nosotros (comer) 6.＿＿＿＿＿＿＿＿＿ a las tres de la tarde y después (jugar) 7.＿＿＿＿＿＿＿＿＿ un rato en el patio. ¡Qué recuerdos más lindos! Pero cuando yo (tener) 8.＿＿＿＿＿＿＿＿＿ 16 años, nos mudamos a la capital y sólo (volver) 9.＿＿＿＿＿＿＿＿＿ a Jalapa para pasar la Navidad. ¡Qué triste!

B. <u>De vacaciones en Chile</u>

De niña, yo (tener) 1.＿＿＿＿＿＿＿＿＿ muchas oportunidades de viajar porque mi padre (trabajar) 2.＿＿＿＿＿＿＿＿＿ para IBM Internacional. Todos los años mi familia (ir) 3.＿＿＿＿＿＿＿＿＿ a Viña del Mar para el mes de enero. Nosotros (salir) 4.＿＿＿＿＿＿＿＿＿ tres días después de la Navidad y (volver) 5.＿＿＿＿＿＿＿＿＿ el primero de febrero. Mis hermanos y yo (pasar) 6.＿＿＿＿＿＿＿＿＿ el invierno jugando en las playas chilenas. (Divertirse - nosotros) 7.＿＿＿＿＿＿＿＿＿ muchísimo.

C. <u>Paco y Paquito</u>. Paco is always complaining about his son Paquito's behavior. But Paco's mother says that Paco used to act the same way. Rewrite the paragraph about Paquito to explain what Paco used to do, according to his mother.

Cada mañana Paquito apaga el despertador y duerme media hora más. No desayuna bien y sale de la casa corriendo. Llega tarde a la escuela y no escucha a la maestra. Nunca hace su tarea y por eso tiene que quedarse en la escuela hasta las cinco cada día.

Paco, cada mañana tú también ＿＿＿＿＿＿＿＿＿＿＿＿＿＿＿＿＿＿＿＿＿＿＿

＿＿＿＿＿＿＿＿＿＿＿＿＿＿＿＿＿＿＿＿＿＿＿＿＿＿＿＿＿＿＿＿＿

＿＿＿＿＿＿＿＿＿＿＿＿＿＿＿＿＿＿＿＿＿＿＿＿＿＿＿＿＿＿＿＿＿

＿＿＿＿＿＿＿＿＿＿＿＿＿＿＿＿＿＿＿＿＿＿＿＿＿＿＿＿＿＿＿＿＿

＿＿＿＿＿＿＿＿＿＿＿＿＿＿＿＿＿＿＿＿＿＿＿＿＿＿＿＿＿＿＿＿＿

PRÁCTICA: Las palabras interrogativas

I. <u>Los quehaceres</u>. Complete the questions about the drawing below with the correct missing interrogative word. Then answer the questions, using the drawing and your imagination.

1. ¿_____ platos sucios hay en la cocina?

2. ¿_____ están enojados los padres?

3. ¿_____ hay debajo del sofá?

4. ¿A _____ le toca (*Whose turn is it*) sacar la basura?

5. ¿_____ le toca hacer a Armando?

6. ¿_____ es el quehacer que menos le gusta a Dalila?

7. ¿_____ fueron los padres?

8. ¿_____ es el problema entre Dalila y Armando?

II. ¿Cuál(es)? vs. ¿Qué? Complete the questions below with the correct interrogative, then answer each based on your own experiences.

1. ¿_____ haces en tus ratos libres?

2. En tu opinión, ¿_____ es el pasatiempo más aburrido?

3. ¿_____ eran tus pasatiempos favoritos cuando eras niño/a?

4. ¿_____ programas de televisión te gustaban más?

5. ¿_____ película quieres ver este fin de semana?

6. ¿_____ tenías que hacer en casa cuando eras niño/a?

7. ¿_____ te toca (*What do you have*) hacer en casa hoy?

8. En tu opinión, ¿_____ aparato doméstico es el más necesario?

REPASO: CAPÍTULO 8

I. Vocabulario

A. Asociaciones. What words do you associate with the following terms? Try to list two or three related words for each.

1. el tráfico

2. el bosque

3. el semáforo

4. la gallina

5. el estacionamiento

6. el centro de salud

7. huerta

8. manejar

9. viajar

10. rural

B. Definiciones

1. un dibujo que contiene la ubicación de las calles de una ciudad/estado etc.

2. el lugar donde vamos con el auto cuando necesitamos gasolina

3. la persona que trabaja la tierra

4. un edificio altísimo, por lo general está ubicado en el centro

5. un lugar en el campo donde viven el agricultor y sus animales

6. los animales que viven en el agua

7. dejar de moverse

8. la acción de cambiar dirección

C. Preguntas. Contesta en español.

1. En el futuro, ¿dónde vas a vivir, en la ciudad o el campo?

2. ¿Cuáles son dos problemas de vivir en el campo? ¿Y en la ciudad?

3. En tu opinion, ¿deben usar la acera los ciclistas? ¿Por qué?

4. En tu opinión, ¿cuál es mejor, el autobús o el metro? ¿Por qué?

II. Gramática

A. Mandatos informales. Marina is homesick, stressed about her classes, and has no plans for the weekend. Give her advice about what to do and not to do using tú commands. Use six different verbs.

1. Marina, no _____

2. Marina, _____

3. Marina, no _____

4. Marina, _____

5. Marina, no _____

6. Marina, _____

B. Los adverbios. Complete the passage with the missing adverbs.

Me acuerdo muy bien de cómo eran mis abuelos. Vivían en nuestro pueblo, y

nosotros íbamos allí (constante) 1._____. Mi abuelo Octavio nos

enseñaba sus plantas y sus flores (paciente) 2._____. Mi abuela

Guillermina nos dejaba correr (rápido) 3._____ por toda la casa. Si

hacíamos mucho ruido, decía (tranquilo) 4._____: "Bueno, niños,

váyanse a jugar en el patio". La abuela siempre tenía todo muy organizado. Todos los

días, nos servía el almuerzo a las dos (puntual) 5._____.

C. ¿Qué hacían cuando alguien llamó a la puerta? Write what everyone was doing when . . .

1. Tomás
2. Nuria y Benito
3. El Sr. Cárdenas
4. Teresa y Roberto
5. La Sra. Cárdenas

D. En el pasado... Contesta en español.

1. ¿Cómo eras cuando tenías quince años?
2. ¿Dónde vivías antes de ir a la universidad?
3. ¿Cómo era tu colegio?
4. ¿Qué te gustaba hacer cuando eras niño/a?
5. ¿Qué hacías anoche a las siete? ¿Y a las doce?

III. Diálogos

Write a short dialogue based on one of the following topics.

1. Set up a blind date between Alicia, a great athlete and sports fan, and Fernando, a heavy-duty partier. Call either Fernando or Alicia and:
   - describe the other person to him/her;
   - suggest what they could do on a date;
   - tell Fernando/Alicia to call the other person.

2. You've just found out that you will be living with a Latin American exchange student next semester. Call up this person and create a conversation in which you:
   - explain who you are and why you've called;
   - describe your daily routine;
   - ask which household chores s/he can do.

BINGO: ¿Qué hiciste?

tomó una siesta ayer.	fue a México en marzo.	dio una fiesta hace poco.	miró la tele anoche.	compró algo ayer.
no asistió a clase la semana pasada.	salió con unos amigos anoche.	comió en McDonald's esta semana.	visitó a su familia hace poco.	cenó en un restaurante la semana pasada.
escribió una carta ayer.	llegó tarde a clase ayer.	se acostó tarde el sábado.	no estudió anoche.	tomó un café esta mañana.
perdió algo la semana pasada.	anduvo en bicicleta esta mañana.	fue de compras el fin de semana pasado.	fue a la biblioteca anoche.	hizo algo interesante el domingo.
tuvo una cita el viernes.	habló por teléfono ayer.	hizo un viaje el año pasado.	vio una película buena.	tomó un examen ayer.

Information Gap Activity: La familia Ybarra
(Compañero/a #1)

The chart below shows some of the things the Ybarra family used to do when they lived in Madrid a few years ago. Ask your partner questions about the activities of different family members, and fill in the missing pieces of information on your chart. Answer your partner's questions using the information you already have on your own chart. When you've finished, check with your partner to make sure you've gotten the correct answers.

MODELO   Tu compañero/a: ¿Qué hacía Margarita los viernes por la noche?
                Tú: Ella leía novelas en casa.

Information Gap Activity: La familia Ybarra
(Compañero/a #2)

The chart below shows some of the things the Ybarra family used to do when they lived in Madrid a few years ago. Ask your partner questions about the activities of different family members, and fill in the missing pieces of information on your chart. Answer your partner's questions using the information you already have on your own chart. When you've finished, check with your partner to make sure you've gotten the correct answers.

MODELO   Tu compañero/a: ¿Qué hacían Margarita y Pedro los domingos por la tarde?

             Tú: Ellos daban un paseo en el parque.

El viernes por la noche	El sábado por la mañana	El domingo por la tarde
Margarita	Margarita	Margarita y Pedro
Pedro	¡Dale, Guillermo! / Pedro	Margarita y Pedro
Amanda y sus amigos	Amanda y Graciela	Amanda y Graciela
Guillermo	Guillermo	Guillermo

ENTREVISTA: Busca a alguien que...

Find classmates who did the following things. Use the model as an example and form your questions using the list below. When you find someone who answers **sí** to your question, have him/her sign in the correct blank. Be prepared to report your answers to the class.

MODELO: Find someone who took a history class last year.
                              Tú: ¿Tomaste una clase de historia el año pasado?
             Tu compañero/a: ¡Sí!
                              Tú: ¡Firma aquí, por favor!

Find someone who . . .	Nombre
went to the movies last night	
ate pizza last weekend	
got up late yesterday	
watched television last night	
went to a party last weekend	
lived someplace else last semester	
got an A on the test	
talked on the phone yesterday	
did something interesting last year	
went to bed late last night	
went out with friends last weekend	
had a problem last week	
arrived late to class last week	
did homework this morning	

Speaking Activities

GUIDED WRITING AND SPEAKING:
En un parque de Buenos Aires

A. Using the picture and your imagination answer the following questions in complete Spanish sentences. Pay careful attention to the way the questions are phrased in order to use the correct structures in your answers.

1. What is Pablo doing at this moment?
2. Who bought Javi a balloon? (**el globo** = balloon)
3. What does Lola have to do later?
4. What did Marta like to do when she was little?
5. What are Juan and his friends doing?
6. Why did Luis invite Mari to the park?
7. What was Luis' old girlfriend like?
8. Who is the strangest person in the park today?
9. What plans are Lola and Marta making for the weekend?
10. What did they do last weekend?

B. Write a short paragraph describing what Marta and Lola used to do on the weekends before they had children.

C. With a partner, role-play a dialogue between any two characters in the drawing.

Speaking Activities

Key Language Functions: Description, Comparison, Expressing Likes and Dislikes, Narration in the Past

At this point in the course you should be able to describe, compare, discuss likes and dislikes, and talk about the past. The chart below shows the linguistic tools needed to perform these four key language functions accurately.

DESCRIBIR D	To construct a description →	Vocabulary →	Linguistic Tools Needed: • **ser** vs. **estar** • noun-adjective agreement
COMPARAR C	To construct a comparison →	Vocabulary →	Linguistic Tools Needed: • noun-adjective agreement • **más/menos...que** • **tan...como** • **tanto/as/os/as...como**
GUSTOS G	To construct a statement → expressing likes and dislikes	Vocabulary →	Linguistic Tools Needed: • **Gustar**-type constructions • Indirect-object pronouns
PASADO P	To construct a description → in the past	Vocabulary →	Linguistic Tools Needed: • Imperfect

Take turns with a partner talking about the following topics. Remember to pay attention to the linguistic tools (the grammar rules) you need to express these key language functions accurately.

- Describe what your apartment or dorm room looks like the week of finals.
- Describe how you and your best friend celebrate your birthdays. Include what you give each other and how you make the day special.

- Compare clothes at Nordstrom and clothes at Walmart.
- Compare two sports.

- Talk about what you like about your community and what bothers you.
- Talk about what you like about Valentine's Day and what bothers you about this holiday.

- Talk about what you were like when you were 13. Include what things you used to do at that age.
- Talk about what you used to do during recess (**el recreo**) when you were a child.

CAPÍTULO
9

Communicative Goals for Chapter 9
By the end of the chapter you should be able to:

- answer questions negatively ❏
- talk about past actions with description ❏
- talk about sentimental relationships ❏
- talk about the stages of life ❏

Grammatical Structures
You should know:

- indefinite and ❏
  negative words
- use of the preterite ❏
  and imperfect

PRONUNCIACIÓN

Practice these sentences with a partner.

1. Paula puso pocas papas en la parrilla porque su papá las puso en la tortilla ayer.

2. La duquesa quería quinientos quesos del quiosco de Quique.

3. Ibiza es una isla sin ninguna zona sucia.

4. Había hasta veinte huéspedes en este hotel que querían hielo en sus habitaciones.

5. David duda que el dentista danés descanse después de sacar los dos dientes de Daniel Dorado.

LISTENING COMPREHENSION: El noticiero

You will hear a news report. The first time you hear it, listen for who is being talked about and where the event took place. Write this information in the chart below. The second time you hear the report, complete the chart with information about what happened. Don't worry about understanding everything you hear.

¿Quién?	¿Dónde?	¿Qué pasó?

PRÁCTICA: Indefinite and negative words

Ana and Estela are roommates, but are complete opposites. Explain how they differ from each other using the drawing below and rewriting the sentences to describe the other roommate.

MODELO: Ana siempre vuelve tarde a la residencia.   Estela nunca vuelve tarde
(Estela no vuelve tarde
nunca.)

(Estela jamás vuelve tarde.)

Ana	**Estela**
Hay algo debajo de la cama de Ana.	1. _____
También hay una pizza en su cama.	2. _____
3. _____	Estela jamás lleva ropa vieja y sucia.
Ana tiene algunos problemas con organizarse.	4. _____
5. _____	Algunos creen que Estela es una compulsiva.
Ana conoce a muchas personas interesantes.	6. _____
A veces, alguien llama a Ana por teléfono a la una de la mañana.	7. _____
8. _____	Estela siempre se levanta temprano.
9. _____	Se acuesta temprano también.
10. _____	Nunca llega tarde a clase.

PRÁCTICA: Introduction to Preterite vs. Imperfect

Look at the drawing below, then read the questions. Would the underlined verbs in each question be expressed with preterite or imperfect? Which verbs are the correct choices for the answers?

1. What <u>was</u> Sofía's dress like?
(Fue / Era) un vestido negro y elegante.

2. Who <u>called</u> Marina?
La (llamó / llamaba) Jorge.

3. Whom <u>did</u> Esteban <u>meet</u> at the party?
(Conoció / Conocía) a Patricia.

4. What <u>did</u> Gema <u>bring</u> to the party?
(Trajo / Traía) una botella de champán.

5. How <u>was</u> Jorge <u>feeling</u>?
(Se sintió / Se sentía) bastante mal.

6. <u>Did</u> he <u>have</u> a stomachache or a headache?
(Tuvo / Tenía) un dolor de cabeza horrible.

7. What <u>was</u> Marina <u>doing</u> when the phone <u>rang</u>?
Ella (sirvió / servía) unas botanas (*appetizers*) cuando (sonó / sonaba) el teléfono.

8. What time <u>was</u> it when the party <u>started</u>?
(Fueron / Eran) las ocho cuando (empezó / empezaba) la fiesta.

9. What <u>did</u> Javier's daughter <u>want</u> to do?
(Quiso / Quería) jugar con su hermanita.

10. What <u>was</u> Javier's daughter doing while he <u>was talking</u> to Paco?
Ella (lloró / lloraba) mientras su papá (habló / hablaba) con Paco.

11. How many glasses of champagne <u>did</u> Ernesto <u>have</u>?
(Tomó / Tomaba) 5 copas de champán.

12. Why <u>was</u> Sultán, the dog, happy?
(Estuvo / Estaba) contento porque le gustan las fiestas.

PRÁCTICA: El examen de Regina

Complete the passage using the preterite and imperfect. Use the pictures to help you decide which tense is the correct choice.

(Ser) 1._____ las nueve de la mañana

cuando Regina (empezar) 2._____ a

estudiar para su examen de historia.

Su compañera (levantarse) 3._____ a las once,

(llamar) 4._____ a su novio y (poner)

5._____ la música muy alta. Regina no

(estar) 6._____ contenta porque (tener)

7._____ que estudiar más.

(Tomar) 8._____ el examen a la una.

(Estar) 9._____ muy tensa porque el

examen (ser) 10._____ muy largo.

Al día siguiente cuando (entrar) 11._____ en el salón

para ver su examen, (estar) 12._____

muy nerviosa.

Pero (sacar) 13._____ una "A". (Estar)

14._____ contentísima.

PRÁCTICA: Una visita al médico

Juanito had to go to the doctor for a checkup yesterday. Tell what happened, using the pictures and the verbs below as a guide. Write at least two sentences for each picture. Include one preterite and one imperfect verb in each sentence.

1. llegar / estar nervioso

2. hablar con la enfermera / sentirse mal

3. escribir / esperar

4. examinar / no tener miedo (*to not be scared*)

5. dar medicina / no querer

6. salir / estar contento

PRÁCTICA: More Preterite vs. Imperfect

Here are 6 preterite vs. imperfect paragraphs. Check your answers at the end.

Paragraphs 1 and 2: Choose the correct verb form according to the context.

1. Anoche yo (fui / iba) a la biblioteca con mi compañero de cuarto. Mientras nosotros (estudiamos / estudiábamos) un viejo amigo (entró / entraba) a la biblioteca. Nosotros (hablamos / hablábamos) con él una hora y después (salimos / salíamos) de la biblioteca. (Fueron / Eran) las 9:30 cuando (llegamos / llegábamos) a la parada del autobús. (Tomamos / Tomábamos) el autobús y nos (dejó / dejaba) en frente de nuestra casa.

2. (Eran / Fueron) las 9 de la mañana cuando Felipe (salió / salía) de su casa para tomar el desayuno. No (tuvo / tenía) prisa y por eso mientras (andaba / anduvo) por la calle (fumó / fumaba) un cigarillo. Cuando (llegó / llegaba) al restaurante (entró / entraba). La camarera le (trajo / traía) el menú pero Felipe no (tuvo / tenía) mucha hambre y solamente (quiso / quería) café. Cuando la camarera (volvió / volvía) para tomar su pedido, él (pidió / pedía) un café con leche y unas tostadas.

Paragraphs 3-6: Complete with the preterite or imperfect.

3. El viernes pasado mi profesor de sociología (decir) _____ que nosotros (ir) _____ a tener un examen dentro de algunos días. Después de la clase, (decidir - yo) _____ ir a la biblioteca para leer el libro que (estar) _____ en la lista de reserva. Se lo (pedir - yo) _____ a la señorita y ella me lo (traer) _____ después de unos minutos. (Haber) _____ muchos estudiantes allí que (leer) _____ sus textos. Cuando (ser) _____ las cinco, (regresar - yo) _____ a mi casa para estudiar más.

4. Nuestro amigo Pancho tuvo mala suerte ayer. (Despertarse) _____ con un dolor de cabeza y (llegar) _____ tarde a la clase de español, a las 8:30. ¡(Tener) _____ mucho sueño! En la clase, mientras la profesora (hablar) _____, Pancho (dormirse) _____ y (empezar) _____ a roncar (*to snore*). De repente el libro de la profesora (caerse) _____ al suelo. ¡PLAS! La profesora (gritar) _____: "¡No se puede dormir en mi clase! ¡Fuera de aquí!" Pancho (levantarse) _____ y mientras (caminar) _____ hacia la puerta los estudiantes se reían (*laughed*).

5. (Hacer) _____ mucho frío y viento. (Ser) _____
una noche típica de invierno. Yo (leer) _____ el periódico
mientras mi esposo (preparar) _____ la cena. De repente él
(empezar) _____ a gritar. (Ir - yo) _____ a la
cocina y le (preguntar) _____: "¿Qué te pasa?" Él (decirme)
_____ que un ratón (correr) _____ por la cocina.
Él (tener) _____ miedo y yo también. ¡No me gustan los ratones!

6. (Ser) _____ las nueve de la mañana cuando (llegar - yo)
_____ a la universidad. Por lo general, yo (levantarme)
_____ muy temprano para las clases, pero ese día (dormir)
_____ hasta muy tarde. Cuando por fin (entrar)
_____ a la cafetería estudiantil, (encontrar)
_____ a dos personas que (conversar) _____ y
(tomar) _____ café. No los (conocer - yo)
_____ pero les (preguntar - yo) _____: "Por qué
no hay gente aquí?" Ellos me (contestar) _____ que era porque era
sábado.

Preterite vs. Imperfect Answers

1. fui - estudiábamos - entró - hablamos - salimos - eran - llegamos - tomamos - dejó

2. Eran - salió - tenía - andaba - fumaba - llegó - entró - trajo - tenía - quería - volvió - pidió

3. dijo - íbamos - decidí - estaba - pedí - trajo - Había - leían - eran - regresé

4. Se despertó - llegó - tenía - hablaba - se dormía o se durmió - empezó - se cayó - gritó - se levantó - caminaba

5. Hacía - era - leía - preparaba - empezó - fui - pregunté - me dijo - corría - tenía

6. Eran - llegué - me levantaba - dormí - entré - encontré - conversaban - tomaban - conocía - pregunté - contestaron

PRÁCTICA: POR vs. PARA

A. Read the following sentences and study the context of the underlined words. Decide if the word(s) would be expressed by **por** or **para** in Spanish.

1. I'll send it to you <u>by</u> Federal Express. It should arrive <u>by</u> tomorrow morning.
2. Flowers? <u>For</u> me? Thanks so much <u>for</u> them!
3. He was headed <u>for</u> the border when I last saw him.
4. — The Gulf Coast is a great place <u>for</u> swimming.
   — As <u>for</u> me, I like the Caribbean better.
5. He works <u>for</u> the CIA, and <u>because of</u> that, he's very secretive.
6. <u>By</u> the people and <u>for</u> the people.
7. We got lost and wandered through Madrid <u>for</u> 2 hours. Finally, we found the train station and left <u>for</u> Galicia.
8. Mom, can I have some money <u>for</u> ice cream?
9. We have to finish this <u>by</u> Friday <u>because of</u> the final exam.
10. I need to study <u>for</u> a zillion hours <u>for</u> this final!
11. The students came back <u>to get</u> more worksheets.
12. The instructor and students received medals <u>for</u> their valor.
13. They threw a big party <u>to celebrate</u>.

B. Now complete the sentences with **por** or **para** according to the context.

De compras:

1. Mis hermanas fueron al centro comercial _____ comprar zapatos nuevos.

2. Van a estar allí _____ tres horas.

3. Pero primero tienen que pasar _____ el banco para el dinero.

4. Elena siempre paga mucho dinero _____ sus zapatos.

5. ¿_____ qué necesita ella zapatos tan caros? No lo entiendo.

6. Los lleva _____ menos de un año, y después quiere comprar otros.

Para despertarse:

7. Todos los días salimos _____ la universidad a las 7:45 de la mañana.

8. Normalmente pasamos _____ la casa de Leo, primero.

9. Ayer Leo estudió _____ 5 horas; por eso está muy cansado hoy.

10. Necesitamos pasar _____ algún café _____ tomar un café muy fuerte.

11. _____ despertarse, Leo necesita tomar mucho café.

12. _____ la Navidad, le compré tres libras de café de Costa Rica.

REPASO: CAPÍTULO 9

I. Vocabulario

A. What words do you associate with the following terms?

1. adolescencia
2. caminata
3. acampar
4. cariño
5. madurez

6. luna de miel
7. cuento
8. compromiso
9. pareja de hecho
10. amistad

B. Definiciones.

1. La primera etapa de la vida:

2. La acción de salir de casa e (*and*) ir a otro lugar para divertirse y descansar:

3. Caminar en la naturaleza:

4. Un Sitio donde la gente (*people*) baila:

5. Cuando dos personas se reúnen para verse y hablarse:

C. Preguntas personales. Contesta en español.

1. ¿Qué prefieres, el alpinismo o el ciclismo? ¿Por qué?

2. ¿Cuántos años tenías cuando recibiste/diste tu primer beso (*kiss*) romántico?

3. ¿Rompiste con un novio por celular?

4. ¿Cuánto tiempo debe durar (*last*) el noviazgo?

5. ¿Conoces a alguna pareja de hecho? ¿Cómo es su relación?

6. ¿Lloras cuando ves una película triste?

II. Gramática

A. Verbos. Complete the passage with the correct form of the preterite or imperfect according to the cues. Read the passage before starting, and mark each verb with "p" or "i" depending on the context. After completing the passage, answer the questions.

Vocabulario: **no pegar ojo** = not to sleep a wink   **encendidos/as** = turned on, lit up

Cuando (*they arrived*) 1._____ al restaurante, Raquel (*ordered*)

2._____ una limonada porque (*she had*) 3._____ muchísima sed

(*thirst*). Después de servirle la limonada, el camarero les (*brought*) 4._____ el

menú. Paco no (*know*) 5._____ qué pedir porque no (*was familiar with*)

6._____ el restaurante. El camarero les (*recommended*) 7._____ el pollo

con salsa mole, la especialidad de la casa, pero Raquel (*decided*) 8._____ probar

los camarones y Paco (*ordered*) 9._____ las enchiladas.

Raquel y Paco (*waited*) 10._____ media hora para su cena porque (*there

were*) 11._____ mucha gente en el restaurante. Paco (*was*) 12._____ un

poco nervioso, porque los dos (*were going*) 13._____ al cine después y él no

(*wanted*) 14._____ perder parte de la película. Por fin (*arrived*)

15._____ la cena. Todo (*was*) 16._____ riquísimo. Cuando (*they

finished*) 17._____ de cenar, Paco le (*asked*) 18._____ a Raquel si (*she

wanted*) 19._____ postre. Raquel (*said*) 20._____ que (*she preferred*)

21._____ tomar un helado después de la película. (*They paid*) 22._____

la cuenta y (*they walked*) 23._____ al cine, donde (*they were showing*/dar)

24._____ "Hannibal".

A Raquel le (*pleased*/gustar) 25._____ la película aunque (*she had*)

26._____ mucho miedo. (*She thought*) 27._____ que los actores (*were*)

28._____ excelentes, pero le (*told*) 29._____ a Paco que no (*she was

going*) 30._____ a pegar ojo en toda la noche por causa del miedo. Paco (*said*)

31._____ que (*it was*) 32._____ una película muy tonta y que él no

(*had*) 33._____ miedo. Pero eso no (*was*) 34._____ cierto. ¡Cuando él

(*returned*) 35._____ a casa, (*he spent*) 36._____ la noche entera con las

luces de su habitación encendidas!

<u>Preguntas</u>

1. ¿Qué quería tomar Raquel antes de cenar, y por qué?

2. ¿Por qué tuvieron que esperar media hora para la cena?

3. ¿Qué quería hacer Raquel después de la película?

4. ¿El cine estaba lejos o cerca del restaurante?

5. ¿Cómo le pareció la película a Raquel? ¿Y a Paco?

6. ¿Qué hizo Paco después de volver a casa?

B. <u>Indefinite and Negative Words</u>. Change to the opposite.

1. Siempre estudio en la biblioteca porque me gusta mucho.

2. Algunos compañeros estudian allí también.

3. Nunca comemos en la biblioteca.

4. Nos gusta comer algo después de estudiar.

5. Tengo unos exámenes esta semana, y mis amigos también.

C. Por vs. para. Complete the sentences with the correct preposition.

1. Mi hermana salió _____ España ayer. Fue _____ avión pero va a

   viajar _____ tren durante sus vacaciones allí. Yo le regalé un libro sobre

   España _____ leer en el avión. Ella va a estar allí _____ tres

   semanas.

2. ¡_____ fin termina este semestre! Fue un semestre muy difícil

   _____ mí, porque tomé 6 clases. _____ lo menos, voy a sacar

   notas altas en todas mis clases. Antes de los exámenes finales, pienso estudiar

   _____ una semana entera en la biblioteca. También tengo que escribir

   dos ensayos _____ la semana próxima. Estoy un poco nervioso

   _____ todo el trabajo que tengo.

III. **Diálogo.** You are updating your friend on the major events that have happened in
your life over the last two years. She's spent the last couple of years living on an
island in the South Pacific doing research on a rare and extinct bird, so she has no
idea. Write a dialogue in which you:

- tell her 4 main events that have occurred in your life in her absence.
- tell her what you think about those events.
- ask what events in her life have occurred during her stay on the island.

Be sure to include her thorough answers as well as her questions.

ENTREVISTA: Busca a alguien que...

Find classmates who fit the following categories. Use the model as an example and form your questions using the list below. When you find someone who answers sí to your question, have him/her sign in the correct blank. Be prepared to report your answers to the class. **¡OJO!** Be careful with preterite vs. imperfect.

MODELO: Find somehow who was afraid of the dark when s/he was a kid.
                           Tú: ¿Tenías miedo del oscuro cuando eras niño?
            Tú compañero/a: ¡Sí!
                           Tú: Firma aquí, por favor.

Find someone who . . .	Nombre
used to like Barney	
didn't come to the last class	
used to play with dolls as a kid	
went to another country last summer	
rode a bike to school as a kid	
lived in a dorm last semester	
used to cry at school	
bought some new clothes last week	
used to write poetry	
got married	
was a tall kid	
broke up with someone	
used to camp as a kid	
explored a new place last week	

Round Robin: Grammar Monitor Activity

In this activity you will work in groups of three. Each partner will alternate roles until all three of you have (1) described what happened at one of the social events; (2) asked questions to get more information; and (3) served as the grammar monitor.

Partner A: Describe what happened at one of the gatherings pictured above. Narrate the events that took place during the evening in the preterite, and describe how things were and how people were feeling in the imperfect. Don't forget your connectors: *primero, luego, entonces, después.*

Partner B: Listen carefully as Partner A talks about the gathering he/she has chosen to describe. Then ask two questions to get more information about the party you missed.

Partner C: As the grammar monitor, your job is to write down the verbs that you hear. Before you give your feedback, circle all of the preterite verbs. When Partners A and B are finished, give them feedback on whether or not the preterite verbs they used actually moved the story line forward in time.

GUIDED WRITING AND SPEAKING:
¿Qué pasó hoy en el centro?

A. Using the picture and your imagination, answer the following questions in complete Spanish sentences. Pay careful attention to the way the questions are phrased in order to use the correct structures in your answers.

Vocabulario: **el incendio** = fire

1. Did Rosalía hurt herself when she jumped? (**saltar** = to jump)
2. How long has Margarita been waiting for the firemen? (**los bomberos**)
3. Who is more angry, Santiago or Lorenzo?
4. Why does Sargent Rojas have a headache? (**dolor de cabeza**)
5. From what floor did Geraldo fall (**caerse**)? Did he break an arm (**brazo**) or a leg (**pierna**)?
6. Why is Ramón so distracted today?
7. Who is the clumsiest person downtown today?

B. Imagine you are one of the witnesses. Write an e-mail to a friend about what you saw downtown today.

C. With a partner, role-play a dialogue between any two characters in the drawing.

Key Language Functions: Description, Comparison, Expressing Likes and Dislikes, Narration in the Past

At this point in the course you should be able to describe, compare, discuss likes and dislikes, and talk about the past. The chart below shows the linguistic tools needed to perform these four key language functions accurately.

DESCRIBIR D	To construct a description →	Vocabulary →	Linguistic Tools Needed: • **ser** vs. **estar** • noun-adjective agreement
COMPARAR C	To construct a comparison →	Vocabulary →	Linguistic Tools Needed: • noun-adjective agreement • **más/menos...que** • **tan...como** • **tanto/as/os/as...como**
GUSTOS G	To construct a statement → of likes and dislikes	Vocabulary →	Linguistic Tools Needed: • **Gustar**-type constructions • Indirect-object pronouns
PASADO P	To construct a description → in the past and narrate a series of past events	Vocabulary →	Linguistic Tools Needed: • Preterite vs. imperfect

Take turns with a partner talking about the following topics. Remember to pay attention to the linguistic tools (the grammar rules) you need to express these key language functions accurately.

- Describe the population of the U.S.
- Describe what you are like when you feel stressed.

- Compare a lazy person you know with an energetic person you know.
- Compare the way you are now to the way you were in high school.

- Talk about what people like and dislike about being in a relationship.
- Talk about the pastimes and activities that interest and don't interest you and your friends.

- Talk about the first time you fell in love.
- Talk about what happened the last time you went to the mall.

Communicative Goals for Chapter 10

By the end of the chapter you should be able to:

- talk about trips and traveling ❏
- talk about what *has been* done ❏
- tell how long something has been happening ❏
- tell someone to do something ❏

Grammatical Structures

You should know:

- present perfect indicative ❏
- *hace ... que* ❏
- formal command verb forms ❏

PRONUNCIACIÓN

Listen and repeat as your instructor pronounces the following sentences. Then practice with a partner.

1. No hay ningún asiento en el autobús que va al aeropuerto.
2. En el Hotel Majestad el maletero nos ayuda con un montón de maletas.
3. El piloto le pregunta al pasajero puertorriqueño si va a Pamplona o Pontevedra.
4. Recibimos tarjetas postales de Jalapa, Oaxaca, Guanajuato e Isla Mujeres.
5. Guárdame un asiento en el siguiente vuelo a Uruguay. Es urgente.

PRONUNCIACIÓN: Los sonidos *g, gu* y *j*

Listen as your instructor says these Spanish idiomatic expressions, then repeat. Match the Spanish expression with its English equivalent.

____ 1. Ni decir jota.

____ 2. Echar un jarro de agua fría.

____ 3. De ninguna manera.

____ 4. ¡Qué aguafiestas!

____ 5. Me da igual.

____ 6. No saber ni jota.

____ 7. Se me hizo un nudo en la garganta.

____ 8. Muy lejos, en el quinto pino.

a. What a party-pooper!

b. No way.

c. To know absolutely nothing.

d. Not to say a word.

e. Miles from anywhere.

f. I got a lump in my throat.

g. To put a damper on it.

h. It's all the same to me.

LISTENING COMPREHENSION:
Un día en la playa de Puntarenas

Listen as your instructor reads a description of what has happened at the beach today. The first time you listen, identify the different people being described and write their names on the drawing. The second time, listen for the answers to the questions below.

Vocabulario: **los alemanes** = Germans   **la arena** = sand   **el cangrejo** = crab
quemados = sunburned   **el salvavidas** = lifeguard

1. ¿Qué les ha pasado a Max y Monika?

2. ¿Cómo es Laura?

3. ¿Cómo está Carlos en este momento, y por qué?

4. ¿Qué le han dicho al Sr. Verde, y por qué?

¿Cierto o falso?
_____ 5. Teresa Gómez está muy contenta hoy.
_____ 6. Daniel ha construido solo un castillo hoy.
_____ 7. Ramón empezó a trabajar en la playa en marzo.
_____ 8. Alejo y Juanita van a ir a comer después.

PRÁCTICA: PRESENT PERFECT AND PAST PARTICIPLES

I. <u>Present perfect</u>

Rosario is moving to another apartment. Complete the sentences about what has happened on moving day with the correct form of the present perfect.

1. Está segura que _____ (haber mandar) el cheque para la luz.
2. Cree que _____ no (haber subir) el alquiler de los apartamentos.
3. Ahora el dueño le _____ (haber pedir) $460.00 al mes.
4. Es verdad que él _____ (haber resolver) el problema con el agua.
5. Sus amigos _____ (haber venir) para ayudarla.

What is the Spanish professor thinking about today? Complete the sentences with the correct form of the present perfect.

6. El profesor sabe que los estudiantes _____ (haber estudiar) mucho.
7. Cree que él _____ (haber explicar) bastante bien la materia.
8. Es obvio que los estudiantes no _____ (haber hacer) el repaso.
9. Está seguro que nadie _____ (haber leer) la lista del vocabulario.
10. Piensa que algunos _____ (haber sacar) notas muy bajas.

II. <u>Past participle used as adjective</u>

Yolanda's parents are coming for a visit, and she needs to get ready. Complete the sentences with the correct form of the past participle of the verbs in parentheses.

11. La mesa debe estar _____ (poner) para la cena.
12. Tengo que tener _____ (hacer) los programas para la clase de informática.
13. El trabajo para la clase de historia debe estar _____ (escribir) a máquina.
14. Mi cafetera está _____ (romper); tengo que comprar otra.
15. Toda la ropa debe estar _____ (lavar) y _____ (planchar).

Tell Mr. and Mrs. Urrutia what they need to do before their trip by completing the sentences with the correct form of the past participle of the verbs in parentheses.

16. Deben estar seguros que el televisor está _____ (apagar).
17. Las maletas deben estar _____ (hacer) con un día de anticipación.
18. Deben tener los pasaportes y el dinero _____ (guardar) en un lugar seguro.
19. Las puertas y las ventanas de la casa deben estar _____ (cerrar).
20. Recomiendo que hagan una lista para tener todo _____ (organizar).

UNA CARTA DE ESPAÑA

The following letter is from a Spanish host "mom," Benigna, to one of her former American "daughters." Complete the letter with the correct form of the present perfect according to the cues in parentheses. Then answer the questions below.

Vocabulario: **cambiar** = to change   **el embarazo** = pregnancy
ingresar = to admit to a hospital   **paro cardíaco** = cardiac arrest
recordar = to remember   **la revista** = magazine

                                    Salamanca el 10 de octubre de 2001
Querida Sharon y familia,
        Yo sé que no te 1._____ (*I have written*) antes, pero
2._____ (*we have been*) muy ocupados. Desgraciadamente,
3._____ (*has died*) mi suegra. Murió el día 22. Tenía problemas de
corazón. La ingresamos el sábado día 21 y el domingo le dieron dos paros cardíacos. Ya
era mayor, tenía 86 años.
        Me alegra que tu padre haya mejorado, y ya me dirás qué tal lleva tu hermana
el embarazo.
        4._____ (*have arrived*) dos chicas americanas. Una es
estupenda, come de todo y le encantan las lentejas y la comida que a ti te gusta. Se llama
Rhona y es de Búfalo. La otra se llama Carolina. Es de Long Island, tiene mucho dinero
y es un problema. Me 5._____ (*she has said*) que solo quiere arroz,
verduras, fruta, mermelada de fresa y pan. No come ni carne, ni pescado ni nada, ni
la paella ni la chuleta que a ti tanto te gustan.
        Raquel y José Luis 6._____ (*have begun*) ya sus clases. A
Raquel la 7._____ (*we have changed*) de colegio y ahora está muy
contenta. José Luis comenzó el lunes sus clases en la universidad, también está muy
contento.
        Sharon, 8._____ (*has been*) aquí Elisabeth, la de Cádiz. Dice
que le gusta el trabajo, pero que le gustaría (*would like*) estar más tiempo con su marido.
        Dime si quieres que te mande alguna revista de *HOLA*.
                        Bueno, me despido, un abrazo y muchos besos
                        BENIGNA HERNÁNDEZ RIVERO
P.D./ Gracias por tus cartas y por 9. _____ (*having remembered*)
        contarme de toda tu familia.

11. ¿Por qué no ha escrito antes Benigna?

12. ¿Quiénes han llegado a su casa?

13. ¿Cómo son las dos americanas?

14. ¿Qué han comenzado Raquel y José Luis?

15. ¿Quién ha visitado a Benigna recientemente, y de dónde es esa persona?

PRÁCTICA: ¿Cuánto tiempo hace que...?

To express . . .	Use . . .
An ongoing action in the present	**Hace** + period of time + **que** + present tense
How long ago something happened	Hace + period of time + que + preterite OR Preterite + **hace** + period of time

I. Ongoing actions. First, complete the chart below with the number of years the actions listed have been ongoing in your life. Then write a sentence about these actions, using **hace...que**.

Acción	¿Cuántos años?	Frase
tener un perro o un gato	5 años	Hace 5 años que tengo un gato.
ser estudiante		
saber leer		
estudiar español		
vivir en esta ciudad		
conocer a mi mejor amigo/a		
practicar mi deporte favorito		

II. Past actions. Now, complete the second chart saying when the actions listed last occurred. Then write a sentence about each, using **hace...que**.

Acción	¿Cuándo?	Frase
cenar en un restaurante	el mes pasado	Hace un mes que cené en un restaurante. (Cené en un restaurante hace un mes.)
ver a mis padres		
tener una cita		
ir a la playa		
hacer un viaje		
dar una fiesta		
manejar un coche		

PRÁCTICA: Mandatos formales

¡El pobre Sr. Camacho tiene muchos problemas! Below are a list of some of Sr. Camacho's problems/desires. Tell him how you think he should solve his problems by giving him formal commands. Try to give both negative and affirmative commands where possible, and to suggest two solutions to each problem.

> Modelo: Estoy cansado.
> Soluciones: ¡Tome una siesta! ¡No trabaje ahora! ¡Descanse más!

1. Tengo hambre pero estoy a dieta.

2. Estoy aburrido.

3. Estoy enfermo.

4. No me gusta mi trabajo.

5. Tengo miedo de los perros.

6. Me gustaría ser rico.

7. Tengo dolor de cabeza (*headache*).

8. Mi coche no funciona.

9. Gano un sueldo (*salary*) muy bajo.

10. Necesito perder 10 libras (*pounds*).

TRADUCCIONES: Mandatos formales

A. <u>Singular</u> (**Ud.**)

1. Try the turkey. _____   Try it. _____

2. Call the professor. _____   Call him. _____

3. Don't serve that wine. _____   Don't serve it. _____

4. Don't write the letter. _____   Don't write it. _____

5. Make the beans now. _____   Make them now. _____

6. Don't open the door. _____   Don't open it. _____

7. Close the door. _____   Close it. _____

8. Bring the cookies. _____   Bring them. _____

9. Order the shrimp. _____   Order them. _____

10. Ask for the bill. _____   Ask for it. _____

11. Don't lose the credit card. _____   Don't lose it. _____

B. <u>Plural</u> (**Uds.**)

1. Show the movie. _____   Show it. _____

2. Don't buy those cookies. _____   Don't buy them. _____

3. Study Chapter 10. _____   Study it. _____

4. Invite Sofía and Sara. _____   Invite them. _____

5. Serve the dessert. _____   Serve it. _____

6. Get the milk. _____   Get it. _____

PRÁCTICA: Mandatos

Complete the charts as in the example. Substitute the correct pronouns for the underlined words when necessary. Put the affirmative commands in the first column and the negative commands in the second column.

tomar el examen

Ud.	¡Tómelo!	¡No lo tome!
Uds.	¡Tómenlo!	¡No lo tomen!

bañarse

Ud.	¡Báñese!	¡No se bañe!
Uds.	¡Bañense!	¡No se bañen!

traer agua (*fem.*)

Ud.		
Uds.		

poner la radio

vestirse

Ud.		
Uds.		

hacer las camas

pedir la comida

Ud.		
Uds.		

llegar temprano

dar <u>la fiesta</u>

Ud.

Uds.

acostar<u>se</u>

empezar <u>la tarea</u>

Ud.

Uds.

relajar<u>se</u> (*to relax*)

buscar <u>los refrescos</u>

Ud.

Uds.

servir <u>las espinacas</u>

ir al café

Ud.

Uds.

pagar <u>la cuenta</u>

REPASO: CAPÍTULO 10

I. Vocabulario

A. Asociaciones. ¿Cuáles son las palabras o las personas que asocias con las siguientes palabras o expresiones?

   1. la cabaña rústica   3. la aduana

   2. el hotel de lujo   4. el vuelo

B. Definiciones. Escribe una definición en español para las siguientes palabras.

   1. alojarse

   2. recoger el equipaje

   3. el asiento ventanilla

   4. el botones

C. Categorías.

1. Tres cosas que haces en el aeropuerto:

2. Tres cosas que necesitas hacer antes de hacer un viaje:

3. Tres formas de viajar:

4. Tres personas que te ayudan cuando haces un viaje:

D. Preguntas personales. Contesta con una frase completa.

1. Cuando viajas en avión, ¿qué tipo de asiento prefieres, de pasillo o ventanilla? ¿Por qué?

2. En tu opinión, ¿cuáles son los aparatos que más necesita un hotel de lujo?

3. ¿Cuáles son las ventajas de viajar?

4. ¿Has hecho un viaje en crucero alguna vez? ¿Cómo fue?

5. ¿Cuál es el mejor viaje que has hecho?

II. Gramática

A. Participios pasados. Give the past participle of the following infinitives.

ver	_____	decir	_____
pedir	_____	morir	_____
volver	_____	invitar	_____
poner	_____	hacer	_____
descubrir	_____	visitar	_____
abrir	_____	romper	_____
ir	_____	escribir	_____

B. Expresa en español.

1. checked luggage
2. inspected suitcases
3. a dead duck (*pato*)

4. a broken plate
5. an open visa
6. painted eggs

C. ¿Qué ha pasado por aquí? You've been out of town for a semester and ask your roommate Pablo what has happened while you've been gone. Ask him the following questions, using the model.

MODELO: Pedro / graduarse → ¿Pedro se ha graduado?

1. Sara / encontrar trabajo

2. Lucho / salir con muchas chicas

3. La universidad / mandar mis notas

4. Mi novia / quedarse en casa

5. Mis amigos / escribirme muchas cartas

6. Lola / tener otro accidente de coche

7. Tú / alquilar mi cuarto a alguien

8. Jaime / cuidar a mi gato

D. ¿Cuánto tiempo hace que...? Using the drawing and the cues provided, express how long the actions on the next page have been going on with **hace...que**.

MODELO: los gatos / jugar en casa (2 horas) → Hace dos horas que los gatos
                                                                  juegan en casa.

1. Isabel / tocar la guitarra (8 años)

2. Isabel / tener los gatos (2 años)

3. los gatos / estar en el sofá (1 hora)

4. el teléfono / sonar (ue) (30 segundos)

E. Now explain how long ago Isabel did these things, using your imagination and **hace...que**.

MODELO: sentarse para descansar → Hace una hora que Isabel se sentó para descansar.
                                                    (Isabel se sentó para descansar hace una hora.)

1. poner música

2. comprar el sofá

3. volver de la universidad

4. empezar a leer

F. <u>Los mandatos</u>. Give one affirmative and one negative command to the people in El Mesón Fuentes tonight. Use the infinitive phrases given to form your commands.

**Ernestito y
su hermana**

1. no jugar en el restaurante _____

2. comer toda la comida _____

El dueño

3. tener paciencia con los clientes _____

4. no hacer tantas reservaciones _____

Don Miguel

5. pagar la cuenta _____

6. no salir con Carmen otra vez _____

Doña Lucía

7. no llegar tarde _____

8. ir en taxi _____

El camarero

9. traer más vino _____

10. no ser perezoso _____

G. <u>El pretérito</u>. On a separate sheet, write a paragraph about last weekend. Include details about where you went and what you did, use the verbs below.

MODELO: El sábado, me levanté tarde...

Verbos útiles:
levantarse   comer   salir   comprar   ir   hablar   jugar   ver   volver   acostarse

III. Diálogo

Imagine that you are planning a trip to Mexico for spring break. Write a dialogue between you and a travel agent in which you:

- greet the agent and explain that you need two round-trip tickets for Mexico City;
- ask about hotel reservations in Mexico City and Cancún;
- ask how much it costs to fly to Cancún from Mexico City;
- confirm the times and dates you will be traveling;
- pay for your tickets.

BINGO: ¿Qué has hecho?

ha estado en Nueva York.	ha nadado en el Pacífico.	ha estudiado arquitectura.	ha empezado un trabajo nuevo.	se ha levantado tarde hoy.
ha cenado en un restaurante bueno.	ha estado en la Casa Blanca.	ha tomado una clase de informática.	ha comido algo con chocolate hoy.
ha conocido a alguien famoso.	ha roto con su novio/novia.	ha llamado a sus padres esta semana.	ha vivido en otro país.	ha tocado en un conjunto (band).
ha dormido en una tienda de campaña (tent).	ha tenido un accidente de coche.	ha conducido demasiado rápido alguna vez.	ha asistido a la ópera recientemente.	ha participado en una competencia de tenis.
ha escrito una carta a mano.	ha sacado una nota mala una vez.	ha visitado México.	ha leído un libro bueno esta semana.	ha hecho algo por el medio ambiente (environment).

GUIDED WRITING AND SPEAKING: En una cantina cerca del Río Orinoco, Venezuela

A. Using the picture and your imagination, answer the following questions in complete Spanish sentences. Pay careful attention to the way the questions are phrased in order to use the correct structures in your answers.

Vocabulario: **notar** = to notice   **bosque tropical** = rain forest

1. What did Lola and Raúl do yesterday?
2. What's the weather like in Orinoco today?
3. Why is Juan going to teach a class on the destruction of the rain forest?
4. Did Rosa notice air pollution when she arrived in Caracas?
5. Why are Lola and Raúl tired now and what have they done today?
6. Has Rosa written to her boyfriend yet?
7. Has Ana had a nice time in Venezuela?

B. Write a letter from one of the tourists, describing his or her trip to Venezuela.

C. With a partner, role-play a dialogue between any two characters in the drawing.

Communicative Goals Practice #5

Try to talk about the scene below for 75 seconds. "Show off" all you have learned up to this point in the semester. Check the **Communicative Goals** boxes at the beginning of each chapter of your Supplement to see all that you should be able to do. For this oral proficiency practice, some of the possible categories are listed below. Try to use connectors (**porque, pero, y, también, por eso**) to make your description sound more fluent and natural.

1. description (age, personality, physical appearance, clothing)
2. likes and dislikes
3. what these people usually do on vacation
4. what they have done today
5. how they felt
6. future plans

Iñigo

Alicia

After you've finished your description, imagine you are talking to one of the characters in the drawing. Ask at least two questions to one or more characters.

CAPÍTULO
11

Communicative Goals for Chapter 11

By the end of the chapter you should be able to:

- discuss special holidays and parties ❑
- talk about the arts and culture ❑
- express desires and requests ❑
- express emotional responses ❑

Grammatical Structures

You should know:

- introduction to ❑
  the subjunctive
- use of subjunctive ❑
  for volition
- use of subjunctive ❑
  for emotion

PRONUNCIACIÓN

- Mi madre manda que Marco no maneje más.

- Tengo miedo de que Tomás Tamiami no tenga talento.

- Paco pide que Pepita no practique el piano porque papá está al punto de perder la paciencia.

- Quiela quiere que Quevedo quite el quiosco que está en la esquina.

- Recomiendo que Roberto Rodríguez regrese rápidamente a la residencia para la reunión.

LISTENING COMPREHENSION: "Los Regalos de Navidad"

Listen as your instructor reads a passage about Carlos and Mónica's Christmas gifts and fill in the chart below as you hear the information.

	CARLOS	MÓNICA
Juguetes		
Ropa		
Animales		
Electrónicos		

Now listen again and put a check mark (✓) next to the gifts Carlos and Mónica received from Los Reyes and an asterisk (*) next to the gifts received from Santa Claus.

PRONUNCIACIÓN: Las vocales

A cantar--bailar--Me encanta cantar y bailar--hay--entradas--drama--tarde--
¿Hay entradas para el drama esta tarde?--clase--arte--sala--Hay una clase de
arte en la sala grande--agrada--cerámica--España--Me agrada la cerámica de
España--cantante--está--lado--escenario--La cantante está al lado del
escenario.

E lee--novela--moderna--Pepe lee novelas modernas--cree--orquesta--talento--
¿Crees que esa orquesta tiene talento?--tejer--tela--guatemalteca--Las
mujeres tejen unas telas guatemaltecas--merengue--caribeño--El merengue es
caribeño--estrella--escena--agente--La estrella lee la escena tres con el agente
francés.

I artista--pinta--pincel--finísimo--El artista pinta con un pincel finísimo--cine--
Fuimos al cine--guía--dice--Dalí--símbolos--difíciles--El guía dice que Dalí
incluye símbolos difíciles en sus pinturas--ritmo--baterías--disco--increíble--
El ritmo de las baterías de este disco es increíble--Conocimos--artista--
galería--Conocimos al artista Aníbal en la galería.

O pintor--odia--color--El pintor odia los colores oscuros--toca--saxofón--
trombón--Manolo toca el saxofón y el trombón--conoces--historia--
folklóricos--¿Conoces la historia de los bailes folklóricos españoles?--
director--español--famoso--Almodóvar es un director español famoso--obra--
compositor--innovador--La obra del compositor es muy innovador.

U música--gusta--¿Te gusta la música?--músicos--conjunto--buscan--
instrumentos--Los músicos del conjunto buscan sus instrumentos--museo--
aburre--Úrsula--El museo le aburre a Úrsula--burla--escultura--Se burla de la
escultura--gustan--Me gustan la arquitectura y la literatura.

THE SUBJUNCTIVE: AN OVERVIEW

Subjunctive sentence structure: Sentences with subjunctive have two clauses: an **independent clause** and a **dependent clause**, introduced by **que**.

/---Independent---/   /-----------------------Dependent----------------------/
Yo recomiendo   que ella escriba la carta inmediatamente.
I recommend   *that she write the letter immediately.*

The verb in the dependent clause will be in the subjunctive if certain conditions are met.

Conditions for the use of subjunctive in Spanish:

1. The two clauses must have **different subjects**:   (**Yo**) quiero que **ellos** estén contentos.
   I want them to be happy.

   If there is no change in subject, you will use an **infinitive**:   Quiero **estar** contenta.
   I want to be happy.

2. The verb in the **independent** clause must be in the **indicative** and express **willing/wish, emotion, request, doubt,** or **denial**. If that is not the case, the verb in the dependent clause must be in the indicative (even if the two clauses have different subjects).

Quiero que ellos **estén** contentos.	BUT	**Sé** que ellos **están** contentos.
Deseo que Guillermo me **bese**.	BUT	**Es cierto** que él me **besa** mucho.
Es horrible que **haya** cucarachas en casa.	BUT	**Creo** que **hay** muchas allí.

3. Generalizations that express willing/wish, emotion, request, doubt, or denial are followed by an infinitive. When one of these generalizations is personalized (made to refer to a specific person), it is followed by the subjunctive in the dependent clause.

Es necesario **matar** las cucarachas.	BUT	Es necesario **que Guillermo las mate**.
Es terrible **tener** cucarachas en casa.	BUT	Es terrible **que yo las tenga** en casa.

WEIRDO

(When to use the subjunctive)

Use the subjunctive in the dependent clause when the main clause expresses:	Examples of verbs:	Example sentences:
WILL / WISH (volition)	querer, desear, preferir, insistir, necesitar	Quiero que <u>estudies</u>. Necesito que <u>vayas</u> a la tienda.
EMOTION	esperar, sentir, alegrarse de, sorprender, gustar	Siento que <u>estés</u> enfermo. Me alegro de que <u>estés</u> aquí.
IMPERSONAL EXPRESSIONS	es necesario es importante	Es importante que <u>hables</u> con nosotros.
REQUESTS/ RECOMMENDATIONS	pedir, decir, aconsejar, insistir (en), prohibir, permitir, exigir, recomendar, sugerir	Me pide que <u>venga</u>. Nos manda que <u>salgamos</u>. Te dice que <u>vayas</u>. (*require indirect object*)
DOUBT / DENIAL	dudar, negar, no creer	Dudo que <u>conozcas</u> a David Letterman.
OJALÁ	ojalá	Ojalá que el examen <u>sea</u> muy fácil.

PRÁCTICA: El subjuntivo

I. Complete the passages with the subjunctive, according to the subject.

1. Queremos que el profesor _____ (leer) los exámenes, que _____ (darnos) menos tarea, que _____ (ir) de vacaciones muy pronto y que _____ (explicarnos) el subjuntivo.

2. El profesor quiere que nosotros _____ (hablar) español, que _____ (estudiar) mucho, que _____ (practicar) en el laboratorio, que _____ (venir) a clase todos los días y que no _____ (dormir) en clase.

3. Si vienes a visitarme, te recomiendo que _____ (ir) al centro para ver los edificios bonitos, que _____ (visitar) los museos, que _____ (comer) en mi restaurante favorito, que _____ (hacer) una excursión al lago y que _____ (llevar) tu traje de baño.

4. Mis padres quieren que yo _____ (sacar) notas altas, que no _____ (salir) con muchachos locos, que _____ (buscar) un apartamento barato y que _____ (encontrar) un buen trabajo después de graduarme.

II. Now complete the following sentences. Remember that you will need to use the subjunctive. Try to give two or three possible completions for each sentence.

1. Quiero que mi mejor amigo/a...

2. Mi profesor/a de español nos recomienda que...

3. Quiero que mis padres...

4. Quiero que el presidente...

5. Mis padres insisten en que yo...

6. Les recomiendo a mis amigos que ellos...

SUBJUNCTIVE WITH TÚ VS. TÚ COMMANDS

Don't forget that the forms used for the affirmative **tú** commands are not the same forms used in the subjunctive when **tú** is the subject. The negative **tú** commands, however, do use the same form as in the subjunctive.

Modelo: Te recomiendo que <u>vengas</u> ahora   <u>Ven</u> ahora.

<u>No vengas</u> ahora.

Subjunctive with tú   Tú commands

1. Quiero que _____ (salir).   _____.

No _____.

2. Te recomiendo que _____ (comer)   _____.
   allí.

No _____.

3. Te recomiendo que lo _____ (hacer).   _____.

No _____.

4. Deseo que no _____ (ir) hoy.   _____.

No _____.

5. Quiero que lo _____ (comprar).   _____.

No _____.

6. Insisto en que _____ (buscar)   _____.
   trabajo.

No _____.

7. Es importante que _____ (pedir) un   _____.
   aumento.

No _____.

8. No quiero que _____ (ver) esa película. _____.

No _____.

9. Necesito que me _____ (traer) el libro. _____.

No _____.

10. Prefiero que no lo _____ (poner) allí.   _____.

No _____.

PRÁCTICA: Present, Preterite, Subjunctive

Complete the chart, following the model in the first line.

Presente	Pretérito	Subjuntivo
1. Ellos dan una fiesta.	Ellos dieron una fiesta.	Quiero que ellos den una fiesta.
2. _____	Volví a casa.	Quieren que yo _____.
3. Él va al partido.	_____	Quiero que él _____.
4. _____	_____	Quiero que Uds. embarquen.
5. _____	Se quedaron conmigo.	Quiero que ellos _____.
6. Volamos a África.	_____	Quiere que nosotros _____.
7. _____	Pagué la cuenta.	Quieren que yo _____.
8. ¿Lo pasas bien?	_____	Recomendamos que tú _____.
9. _____	_____	Quieren que (yo) haga las maletas.
10. ¿Haces la tarea?	_____	Te recomiendan que _____.
11. _____	Hicieron cola.	Quiero que Uds. _____.
12. _____	_____	Recomiendo que Uds. se hospeden aquí.
13. Busca su tarea.	_____	Recomienda que él _____.
14. _____	Disfrutaron el canal.	Quiero que Uds. _____.
15. _____	_____	No quiere que manejen en la lluvia.
16. _____	Recorrí la ciudad.	No quiere que yo _____.
17. Arreglan todo.	_____	Recomiendo que ellos _____.
18. _____	_____	Queremos que Uds. esperen.

SUBJUNCTIVE: ¿Qué me recomiendas?

Your Spanish instructor has a hard life and a lot of problems. What can you recommend that s/he do to make things better? Write out a suggestion for each problem below, using **Le recomiendo que...** / **Le sugiero que...** / **Le aconsejo que...** + subjunctive.

1. No tengo tiempo para hacer cosas divertidas.

2. No gano mucho dinero trabajando como instructor/a.

3. Hay cucarachas enormes en mi cocina.

4. No sé si debo casarme (*to get married*) o no.

5. Mis estudiantes no estudian.

6. Siempre estoy muy cansado/a.

7. Creo que estoy un poco gordo/a.

8. Creo que no voy a terminar mi tesis nunca.

9. ¡Mi vida es aburrida!

10. Mi computadora falló anoche.

PRÁCTICA: El subjuntivo y las emociones

What do you say in these situations? Give a response in Spanish, using your imagination and what you know about the subjunctive and expressions of emotion. In your answers, use the expressions of emotion from your text.

MODELO:	Your friend wants to switch from a business major to an art major.
Tú:	Espero que te gusten tus clases nuevas.
	(Me sorprende que quieras estudiar arte.)
	(Tengo miedo de que no sea una idea muy buena.)

1. Your best friend invites you to see your favorite group in concert, but your final exam is that night.

2. A classmate tells you that s/he is related to a famous actor.

3. Your next-door neighbor plays the trumpet all day long.

4. Your friend is appearing tonight in a play and is nervous.

5. You sign up for salsa classes, and your Spanish professor is the teacher.

6. Your roommate wants to decorate your apartment with a lot of ugly posters.

7. Your boyfriend/girlfriend wants to form a band.

PREPOSITIONS AND INFINITIVES

No preposition (conjugated verb + infinitive):

deber	gustar	poder	
decidir	necesitar	preferir	Ellos **esperan viajar** a España.
desear	parecer	querer	Él **sabe conducir** bien.
esperar	pensar	saber	

a (conjugated verb + **a** + infinitive):

ir a	aprender a	empezar a	Espero que Alejo **vuelva a escribirme**.
volver a	comenzar a	venir a	Por favor, ¡**ayúdame a estudiar**!
enseñar a	ayudar a	invitar a	

de (conjugated verb + **de** + infinitive):

tratar de	tener ganas de	dejar de	Es necesario que **dejes de fumar**.
olvidarse de	acordarse de	acabar de	¿Por qué **te olvidaste de llamarme** ayer?

en	insistir en + infinitive:	¿Por qué **insisten Uds. en ir** ahora?

que	tener que + infinitive:	**Tenemos que darle** un regalo bonito.
	haber que + infinitive:	**Hay que viajar** para ver cosas nuevas.

Práctica. Complete the sentences with the missing preposition. If no preposition is needed, write X in the blank.

1. Me gustaría (*I would like*) aprender _____ bailar el tango.

2. Picasso empezó _____ dibujar y pintar cuando era muy joven.

3. Hay _____ practicar todos los días para ser buen músico.

4. Trato _____ leer una novela o un libro de poesía todos los meses.

5. Esta noche, tengo ganas _____ ir al cine. ¿Y tú?

6. Espero _____ visitar las ruinas mayas algún día.

7. Luis me invitó _____ ver la exposición de arte.

8. Marisa sabe _____ cantar muy bien.

9. Acabo _____ escuchar una canción nueva.

10. Prefiero _____ ir al concierto con Uds.

REPASO: CAPÍTULO 11

I. Vocabulario

A. <u>Asociaciones</u>. Name a person, place, and thing that you associate with the following.

	persona	lugar	cosa
la pintura			
la música clásica			
la literatura			
el drama			
la Nochevieja			
el coro			
el Día de la Raza			
brindar			
disfrazarse			
esperar			
tener miedo			

II. Gramática

A. <u>Subjuntivo vs. indicativo</u>. What are the 6 components of WEIRDO? Give 2–3 examples, then write one sentence for each letter.

W

_____

E

_____

I

_____

R

_____

D

_____

O

_____

B. ¿Subjuntivo o indicativo? Fill in the blank with the correct form of the verb.

1. Mis padres me recomiendan que (yo) _____ (regresar) a casa este

   verano, pero no quiero _____ (vivir) con ellos.

2. La profesora no permite que los estudiantes _____ (hablar) inglés.

3. Es necesario que Uds. _____ (buscar) trabajo. Necesitan

   _____ (ganar) dinero.

4. Mis amigos prefieren que (yo) _____ (salir) con ellos esta noche.

5. Es ridículo que nosotros _____ (tener) que aprender todos los verbos.

6. Mis amigos dicen que el profesor _____ (ir) a dar una fiesta muy pronto.

C. Más práctica con el subjuntivo. Complete the sentences.

1. La profesora nos recomienda que...

2. Le recomendamos a la profesora que...

3. Mi mejor amigo quiere que (yo)...

4. Quiero que a mi mejor amigo...

5. Mi familia desea que yo...

6. Deseo que mi familia...

D. Más práctica. Expresa en español.

1. I want you (tú) to open the book. Open it.

2. I don't want you (tú) to read the newspaper in class. Don't read it.

3. I want you (Ud.) to study that page. Study it now.

4. The answers? I want you (Uds.) to write them. Write them, please.

5. The vocabulary? I recommend that you (Uds.) study it. Study it tonight.

E. ¿Subjuntivo o indicativo? Complete the sentences with the subjunctive or indicative, according to the context.

Ana asiste a un concierto

1. Ana tiene miedo de que ya no _____ (haber) entradas para el concierto.

2. Su amigo le recomienda que _____ (ir) al teatro para ver.

3. En el teatro, le dicen a Ana que _____ (volver) al día siguiente.

Nuestra clase de español

4. Es increíble que nuestro examen final...

5. Después del examen final, recomiendo que nosotros...

6. Espero que mi próxima clase de español...

F. Preguntas personales. Contesta con una frase completa.

1. ¿Cuántos años tenías cuando **empezaste a escuchar** la música rock?

2. ¿Qué instrumento musical te gustaría (*would you like*) **aprender a tocar**?

3. ¿Qué novela interesante **acabas de leer**?

4. ¿Qué lugares culturales **se deben ver y visitar** en tu ciudad?

III. Diálogo

Write a dialogue based on the following situation. Be prepared to role-play your dialogue with a partner to the class.

1. You were supposed to go hear a friend's concert but you didn't arrive until after it was over. Write a dialogue between you and your friend in which you:
   - express your regrets (using the subjunctive of emotion) and
   - explain three things that happened to make you late (using the "se" construction)

SONDEO: Las artes

Poll three classmates to find out their artistic likes and dislikes, and write down the information you find in the chart below.

	Nombre:	Nombre:	Nombre:
Su actor favorito es...			
La novela que más le gusta es...			
Tiene muchas canciones de...			
Su pintor preferido es...			
Sabe tocar el/la...			
Cuando va al cine, prefiere ver...			
El programa de televisión que más odia es...			
Su museo favorito se llama...			

Now, complete these statements comparing your tastes with that of your classmates, based on what you've learned.

1. Tengo mucho en común con _____, porque...

2. _____ y yo no tenemos mucho en común, porque...

BINGO: La vida cultural

_____ toca un instrumento.	_____ tiene tejidos de América Central.	A _____ le gusta dibujar.	A _____ le gusta la música clásica.	
_____ sabe cantar bien.	_____ escribe poesía.	_____ tiene una clase de literatura.	A _____ le gusta la música clásica.	
_____ quiere ser director de cine.	_____ toma una clase de arte.	A _____ le encanta el cine.	_____ trabaja en un museo.	A _____ estudia arquitectura.
_____ visitó unas ruinas aztecas.	A _____ le aburre el ballet.	_____ aprecia la música caribeña.	_____ canta muy mal.	_____ quiere ser actor/actriz.
De niña, _____ quería ser bailarina.	_____ quiere ser músico profesional.	_____ acaba de leer una novela estupenda.	_____ sabe bailar muy bien.	A _____ le gustaría (would like) ser pintor.
				_____ escribe canciones.
				_____ conoce a un actor famoso.

GUIDED WRITING AND SPEAKING:
Un fin de semana en San Antonio

A. Using the picture and your imagination, answer the following questions in complete Spanish sentences. Pay careful attention to the way the questions are phrased in order to use the correct structures in your answers.

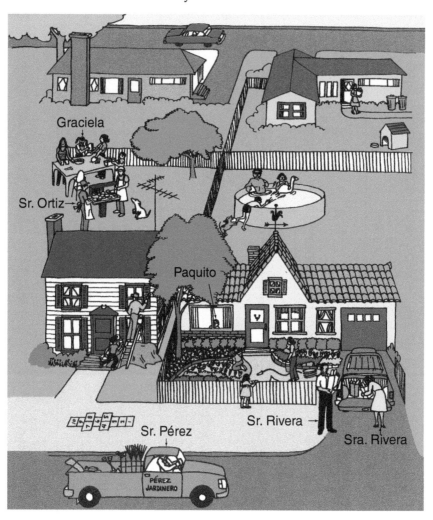

1. How long has Paquito been inside surfing the Internet?
2. What do his parents want him to do?
3. Why does Sr. Pérez need a cell phone?
4. How much do the Riveras pay in rent?
5. What does Sra. Rivera need her husband to do?
6. What were the children doing when Sr. and Sra. Rivera returned?

B. Imagine you just moved next door to the Riveras. Write a description of your new neighborhood and neighbors. Also mention what furniture or electronic equipment you hope your parents buy you. Finally, tell what you want your neighbors to do or not do.

C. With a partner, role-play a dialogue between any two characters in the drawing.

Round Robin: Grammar Monitor Activity

In this activity you will work in groups of three. Each partner will alternate roles until all three of you have (1) told what one of these people wants/needs/insists/recommends/likes, etc. that his/her mate do/not do; (2) asked questions to get more information; and (3) served as the grammar monitor.

Matilde y Jorge

Rocío y Pepe

Guille y Sara

Partner A: Use your imagination to describe a typical day for one of the couples. Then tell what one of the characters wants/needs/insists/recommends and likes or dislikes that his/her mate do/not do.

Partner B: Listen carefully as Partner A describes a typical day for one of the couples, and tells what one of the characters wants/needs/insists/recommends and likes or dislikes that his/her mate do/not do. Then ask two questions to get more information.

Partner C: As the grammar monitor, your job is to listen for errors of the subjunctive that Partners A and B may make. Write down any errors you may hear. Also listen for proper use of the reflexive verbs and pronouns. Example: *Rocío levanta a las 5 de la mañana para servir a su esposo sin embargo Pepe prefiere que ella duerme hasta las 6 ya que el prefiere levantarse a las 6:15.* Note that the verb should be *se levanta* and that *duerme* should be *duerma.* When Partners A and B are finished, give them feedback on whether or not they are doing well with the subjunctive and the reflexive verbs.

Now switch roles. Partner A takes the role of Partner B (the person asking the questions), Partner B takes the role of Partner C (the grammar monitor), and Partner C takes the role of Partner A (the reporter).

Communicative Goals Practice #6

Try to talk about the scene below for 75 seconds. "Show off" all you have learned up to this point in the semester. Check the **Communicative Goals** boxes at the beginning of each chapter of your Supplement to see all that you should be able to do. For this oral proficiency practice, some of the possible categories are listed below. Try to use connectors (**porque, pero, y, también, por eso**) to make your description sound more fluent and natural.

<table>
<tr><td>1. description (age, personality, physical appearance, clothing)</td><td>4. what they did last week</td></tr>
<tr><td></td><td>5. how they felt</td></tr>
<tr><td>2. likes and dislikes (what bothers, enchants, etc.)</td><td>6. what they wish for</td></tr>
<tr><td>3. what these people usually do on weekends</td><td>7. what they want/prefer/need (subjunctive)</td></tr>
</table>

After you've finished your description, imagine you are talking to the characters in the drawing. Ask at least two questions to one or more characters.

CAPÍTULO
12

Communicative Goals for Chapter 12

By the end of the chapter you should be able to:

- use impersonal expressions ❑
- express disbelief and doubt ❑
- talk about your health, emotions, and likes and dislikes ❑

Grammatical Structures

You should know:

- impersonal expressions ❑
- use of subjunctive for doubt, denial, and uncertainty ❑
- *doler* and similar verbs ❑

PRONUNCIACIÓN

Listen as your instructor reads these Spanish sayings related to parts of the body, then repeat. Match the Spanish expression with its English equivalent.

_____ 1. Se escapó por los pelos.

_____ 2. Ni tiene pies ni cabeza.

_____ 3. Está para chuparse los dedos.

_____ 4. Más ven cuatro ojos que dos.

_____ 5. Más vale un pájaro en mano que cien volando.

_____ 6. A donde el corazón se inclina, el pie camina.

_____ 7. En boca cerrada no entran moscas.

_____ 8. Ojos vemos, corazones no sabemos.

_____ 9. Estar hasta las narices.

a. A bird in the hand is worth two in the bush.

b. To have had it up to here.

c. Where the heart leads, the feet follow.

d. I can't make heads or tails of it.

e. You can see someone's face, but you can't know his heart.

f. Two heads are better than one.

g. It's finger-licking good.

h. He made it by the skin of his teeth.

i. Flies can't go into a mouth that's kept closed.

LISTENING COMPREHENSION: El examen de Juan

Look over the **cierto** / **falso** statements and then listen to the story about Juan's dilemma.

_____ 1. A Juan le dolía la cabeza porque estudiaba mucho.

_____ 2. Decidió ir al hospital porque no quería tomar el examen de español.

_____ 3. El médico notó inmediatamente que Juan estaba muy enfermo.

_____ 4. Después de ver a Juan, el médico salió del cuarto y habló con otra doctora.

_____ 5. Cuando Juan oyó que los dos médicos hablaban de una operación, llamó a su maestro.

_____ 6. Juan decidió tomar el examen.

LISTENING COMPREHENSION: ¿Sí o no?

In Miguel's co-op, everyone usually shares duties. But during finals week, people are too busy to help out so they all ask poor Miguel to fill in. Listen as your instructor reads the messages Miguel's housemates have left on his door. You will hear the messages twice. The first time you hear them, indicate whether Miguel's housemates are telling him to do or not to do the things in the list below. The second time you hear the messages, listen for the answers to the true-false questions below.

lavar los platos	Sí	No
ir a la biblioteca	Sí	No
preparar la carne	Sí	No
sacar la basura	Sí	No
pasar la aspiradora	Sí	No
ir al supermercado	Sí	No
olvidar la leche	Sí	No
llamar al plomero (*plumber*)	Sí	No
pagarle al plomero	Sí	No
limpiar el baño	Sí	No

¿Cierto o falso?

_____ Carmen necesita que Miguel lave los platos mañana.

_____ Marta no pudo limpiar el baño esta tarde.

_____ Víctor quiere que Miguel vaya al supermercado.

_____ Víctor le pide que no olvide el helado.

_____ Roque no quiere que Miguel prepare la carne hoy.

PRACTICA: IMPERSONAL EXPRESSIONS

(No) es bueno que   (No) es malo que   (No) es una lástima que

(No) es importante que   (No) es necesario que   (No) es urgente que

(No) es absurdo que   (No) es increíble que

(No) es (im)posible que   (No) es (im)probable que

Es cierto que   No es cierto que

Es verdad que   No es verdad que

Fill in the blank with an appropriate clause or phrase so that the sentence is logical. Make sure to read each sentence carefully to see if the subjunctive is needed or not.

1. _____ el noviazgo sea la mejor época de una relación.

2. _____ las bodas se celebren con toda la familia.

3. _____ los actores de una película romántica se besen.

4. _____ los bailarines trabajan mucho para bailar bien.

5. _____ discutir con tu pareja rompa la relación.

6. _____ haya una separación si los esposos se pelean.

7. _____ los amigos se quieren.

8. _____ la luna de miel empiece la noche de la boda.

9. _____ la música clásica les guste sólo a los ricos.

10. _____ la pintura y la escultura son bellas artes.

11. _____ el amor es la cosa más bonita de la vida.

12. _____ una cita termine mal.

EL SUBJUNTIVO: FRASES INCOMPLETAS

What do these different groups of people want from and expect of each other? Complete the sentences using the verb in parentheses in the indicative or subjunctive according to the context.

En clase

1. La profesora insiste en que la clase (estudiar)...

2. Ella cree que los estudiantes no (aprender)...

3. Los estudiantes recomiendan que ella (tener)...

4. Algunos estudiantes dicen que la materia (ser)...

5. Es verdad que la profesora les (dar)...

6. A ella le molesta que los estudiantes no (hacer)...

De viaje

7. Los chicos piensan que la aduana (revisar)...

8. A los pasajeros les gusta que la asistente de vuelo (servir)...

9. El agente de viajes duda que el vuelo (llegar)...

10. Los hijos prefieren que los padres (hacer)...

11. Es necesario que el maletero (bajar)...

12. Y yo creo que los extranjeros (ser)...

Los padres

13. Mis padres insisten en que mis hermanos (vivir)...

14. Por otro lado yo prefiero que ellos (vivir)...

15. Dudo que ellos (conocerme)...

16. Ojalá que mis hermanos (ser)...

17. Mis hermanos piden que yo los (ayudar)...

18. Me encanta que mis hermanos, padres y yo (llevarse bien)...

¿SUBJUNTIVO O INDICATIVO?

Complete the sentences with the correct form of the verb according to the context.

1. Verónica, quiero que tú _____ (casarse) conmigo inmediatamente.

2. Pero Alejandro, no puedo. No creo que _____ (ser - tú) el hombre para mí.

3. Es imposible que no _____ (estar - tú) enamorada de mí, Verónica.

4. Sí, es verdad que te _____ (quiero - yo), Alejandro.

5. Pero también es verdad que _____ (tener - yo) otro querido.

6. ¡OTRO QUERIDO! ¡IMPOSIBLE! Insisto en que me _____ (decir - tú) quién es.

7. No puedo, Alejandro. Él insiste en que nadie _____ (saber) de nuestro amor.

8. Verónica, sé que _____ (ser - tú) una chica muy inestable. Pero no importa. Te quiero y espero que _____ (pasar - nosotros) el resto de la vida juntos.

9. Alejo, te digo que eso _____ (ser) imposible. Te aconsejo que _____ (olvidarse - tú) de mí y que _____ (buscar) otra mujer.

10. Pero Verónica, las otras mujeres no existen para mí. Sé que no _____ (poder - yo) estar contento si no estoy contigo.

11. De verdad lo siento, Alejo. Es una lástima que _____ (estar - tú) tan enamorado de mí.

12. Verónica, quiero que _____ (pensar - tú) muy bien en lo que haces. Realmente me sorprende que _____ (querer) separarte de mí.

13. Sí, Alejo. Creo que eso _____ (ser) lo mejor. Pero espero que _____ (ser - nosotros) buenos amigos para siempre. Y yo estoy segura de que _____ (ir - tú) a encontrar a una mujer estupenda en el futuro.

14. ¡Y yo estoy seguro de que no _____ (ir - yo) a entender nunca a las mujeres!

PRÁCTICA: More about Verbs Like Gustar

Complete each sentence with the correct form of the verb in parentheses, as well as the corresponding indirect object pronoun.

1. Al bebé _____ (doler) el oído. Es posible que tenga una infección.

2. A ti _____ (aburrir) las películas románticas. Prefieres las comedias.

3. Antonio y Roberto viajan mucho. A ellos _____(fascinar) los museos y las exposiciones de arte.

4. Siempre me cuido mucho para evitar el estrés. A mí _____(encantar) hacer yoga para relajarme.

5. A mis amigos y a mí _____ (preocupar) el bienestar de nuestra compañera de clase, Alejandra.

6. Mi marido y yo meditamos, hacemos ejercicio aeróbico tres veces a la semana y comemos comida sana. A nosotros _____(importar) mantener un estilo de vida saludable.

7. Luisa es alcohólica, pero está en tratamiento. A ella _____ (interesar) asistir a sesiones de terapia en grupo.

8. A Raúl _____ (molestar) los vicios de sus amigos porque él nunca fuma ni toma alcohol.

REPASO: CAPÍTULO 12

I. Vocabulario

A. ¿Cuál de las medicinas usas para los siguientes síntomas?

_____ 1. una fiebre   a. Visine

_____ 2. una tos   b. Tylenol

_____ 3. la indigestión   c. Dayquil

_____ 4. un ataque de nervios   d. Hall's

_____ 5. un dolor de garganta   e. Valium

_____ 6. los ojos irritados   f. Maalox

_____ 7. la nariz congestionada g. Robitussin

B. Asociaciones. What words do you associate with the following terms? Try to list two or three related words for each.

1. la cabeza

2. el pie

3. la nariz

4. el estrés

5. el chequeo

6. mareado

7. sano

8. engordar

9. el jarabe

10. el vicio

C. Preguntas personales.

1. ¿Has estado deprimido alguna vez?

2. ¿Cuantos años tenías cuando te pusieron una inyección por primera vez?

3. ¿Cuándo fue la última vez que te resfriaste?

4. ¿Cuántas veces a la semana haces ejercicio aeróbico?

5. ¿Cuál es peor, fumar cigarrillos o drogarse?

II. Gramática

A. Impersonal expressions. Complete the sentences with a logical phrase. Be sure to use the subjunctive when necessary.

1. Es verdad que …

2. Es una lástima que …

3. Es malo que …

4. No es urgente que …

5. Es necesario que …

6. No es cierto que …

B. Doubt, denial, and uncertainty. Which phrases below "trigger" the subjunctive, and which don't? Write "S" for subjunctive and "I" for indicative to the left of each phrase below, and then write sentences using six of the phrases.

1. _____ No estar seguro/a de que   7. _____ No creer que

2. _____ No negar que   8. _____ No pensar que

3. _____ Dudar que   9. _____ Es probable que

4. _____ Creer que   10. _____ No dudar que

5. _____ Estar seguro/a de que   11. _____ Es verdad que

6. _____ No es verdad que   12. _____ Negar que

1.

2.

3.

4.

5.

6.

C. *Doler* and other *gustar* verbs. Combine elements from each column—and add the appropriate indirect object pronoun—to make a logical sentence.

duele/n	a Juan	la cabeza
fascina/n	a mí	las botas
aburre/n	a nosotros	la gramática
encanta/n	a mi novio	mis ojos
molesta/n	al profe	los lunes
preocupa/n	a las estudiantes	los exámenes
importa/n	a ti	las notas buenas

III. Diálogos.

1. You are sick again with the same illness you had last year at this time of year. You know which medicine you should take, but you have to go to see the doctor anyway to get the prescription. Write a dialogue between you and your doctor explaining:

   a) how you felt last year;
   b) how you are feeling right now; and
   c) which medicine you think you should take to get rid of this illness.

2. You have fallen in love with the son/daughter of a family that your parents do not respect. Write a dialogue between you and your parents in which you explain:

   a) that you and your new love have a lot of affection for one another.
   b) that you want your parents to celebrate your love.
   c) that you are planning to get married.

   Include questions from your parents as well.

3. Your friend is an aspiring artist, but doesn't have much talent. S/he wants to give you some really ugly original paintings and sculptures for your apartment. Have a conversation in which:

   a) your friend shows you one or two pieces and describes them for you;
   b) you politely express your reluctance to decorate with these things, using expressions such as **tengo miedo de que, dudo que, no creo que,** etc.; and
   c) you suggest an alternative that won't hurt your friend's feelings.

BINGO: La salud

lleva una vida tranquila.	quiere ser médico.	hace ejercicios aérobicos todos los días.	tiene un resfriado hoy.	come una dieta equilibrada.
duerme 8 horas al día.	practica muchos deportes.	tiene dolores de cabeza frecuentemente.	necesita hacerse un chequeo pronto.	mucho estrés.
es alérgico/a a los perros.	tiene mucho miedo de las inyecciones.	camina a la universidad todos los días.	dejó de fumar el año pasado.	tiene una cita con el médico esta semana.
corre 2 millas todos los días.	trabaja en una farmacia.	A ____ le gustaría ser enfermero/a.	se emociona mucho.	quiere ser dentista.
A ____ le duele la garganta hoy.	A ____ le encanta hacer yoga.	está un poco resfriado/a.	tiene miedo de los dentistas.	no descansa lo suficiente.

GUIDED WRITING AND SPEAKING:
Los gustos y hábitos de la familia Muñoz

A. Using the picture and your imagination, answer the following questions in complete Spanish sentences. Pay careful attention to the way the questions are phrased in order to use the correct structures in your answers.

1. What does Lola like doing in her free time?
2. What does Ana enjoy doing?
3. Why is Antonio fascinated by videogames?
4. Is it bad that he plays videogames all the time?
5. What does Guille like to do in his free time?
6. What does Lola hope that Guille do in his free time instead?
7. What foods and drinks does Luis love?
8. Do you think that this family takes good care of itself?
9. Do you doubt that the members of this family get a lot of exercise?

B. Write a paragraph about this family and what you recommend they do to lead a more healthy lifestyle.

C. With a partner, role-play a dialogue between any two characters in the drawing.

Round Robin: Grammar Monitor Activity

In this activity you will work in groups of three. Each partner will alternate roles until all three of you have (1) reacted to each statement; (2) made a recommendation; and (3) served as the grammar monitor.

Marco tiene una
nueva novia.

Las señoras piensan que
sus hijos son angelitos.

Paco siempre llega
tarde a la oficina.

Partner A: Read the statement aloud, then give your reaction using an impersonal expression such as *Es terrible que…, Es obvio que… or Es fenomenal que…*

Partner B: Offer a suggestion or recommendation to help improve the situation.

Partner C: As the grammar monitor, your job is to write down the subjunctive verb forms that you hear. Make sure that subjunctive is not used with expressions indicating certainty such as *Es evidente que… Es cierto que…,* or *Es verdad que…* When Partners A and B are finished, give them feedback on whether or not they are using the subjunctive correctly for reactions and recommendations.

Now switch roles. Partner A will recommend, Partner B will be the grammar monitor and Partner C will react. Then switch roles one more time..

Key Language Functions: Description, Comparison, Expressing Likes and Dislikes, Narration in the Past, Reaction and Recommendation

The chart below shows the linguistic tools needed to perform these five key language functions.

DESCRIBIR D	To construct a description →	Vocabulary →	Linguistic Tools Needed: • **ser** vs. **estar** • noun-adjective agreement
COMPARAR C	To construct a comparison →	Vocabulary →	Linguistic Tools Needed: • noun-adjective agreement • **más/menos...que** • **tan...como** • **tanto/as/os/as...como**
GUSTOS G	To construct a statement → of likes and dislikes	Vocabulary →	Linguistic Tools Needed: • **Gustar**-type constructions • Indirect-object pronouns
PASADO P	To construct a description → in the past or narrate a series of past events	Vocabulary →	Linguistic Tools Needed: • Preterite vs. imperfect
REACCIONAR RECOMENDAR R	To construct a reaction → or recommendation	Vocabulary →	Linguistic Tools Needed: • Subjunctive in noun clauses • Commands

Take turns with a partner talking about the following topics. Remember to pay attention to the linguistic tools (the grammar rules) you need to express these key language functions accurately.

- Describe one of the paintings in your textbook.
- Describe the neighborhood where your parents live.

- Compare your lifestyle today with your lifestyle 5 years ago.
- Compare the typewriter and the computer.

- Talk about what people like about dating and what they like about being single.
- Talk about what bothers people about being sick.

- Describe something embarrassing that happened to you when you were in high school.
- Describe a fun job you or one of your friends had in the past.

- Offer a recommendation to a person who wants to be healthy and fit.
- Offer your advice to a freshman who wants to move from the dorms to an apartment.

CAPÍTULO
13

Communicative Goals for Chapter 13

By the end of the chapter you should be able to:

- talk about the future ❑
- talk about pending actions ❑
- discuss careers ❑
- describe your ideal mate, friend, job ❑
  apartment, vacation spot, etc.

Grammatical Structures

You should know:

- future verb forms ❑
- subjunctive after temporal ❑
  conjunctions
- subjunctive in adjectival ❑
  clauses with indefinite
  antecedents

PRONUNCIACIÓN

Listen as your instructor pronounces the following sentences, then practice them with a partner. Make sure to pronounce the future tense forms properly.

- Cuando Carlota pueda, pedirá un préstamo, comprará un coche y lo pagará a plazos.
- Los señores Suárez visitarán Acapulco donde alquilarán una habitación en el Hotel Regina.
- Paquita Palacios tomará un taxi al centro de Puebla, y pagará tres mil pesos.
- En veinticinco años, tendremos una mujer presidente, colonizaremos la luna, eliminaremos las armas nucleares y seremos todos bilingües.

LISTENING COMPREHENSION: ¿A cuánto está el cambio?

Listen as your instructor reads exchange rates in different countries, and fill in the chart with the equivalent of $1.00 in each place. Then answer the questions below.

Argentina	
Chile	
Colombia	
Perú	
México	
España	
Uruguay	
Venezuela	

1. Si cambias 150 dólares en Buenos Aires, ¿cuántos pesos recibirás?
2. Si cambias 200 dólares en Madrid, ¿cuántos euros recibirás?
3. Si cambias 1000 dólares en Cancún, ¿cuántos pesos recibirás?
4. Si cambias 500 dólares en Lima, ¿cuántos soles recibirás?

LISTENING COMPREHENSION: Los salarios de mis amigos

Listen carefully as your instructor tells you about the salaries of some friends. You will hear the descriptions twice. Write down each person's name next to his/her profession, plus the salary he/she makes. After listening to the descriptions, rank each person from highest to lowest salary in the last column.

PROFESIÓN	NOMBRE	SALARIO	Nombres en orden del salario
Abogada			
Bibliotecario			
Banquero			
Electricista			
Ingeniera			
Maestro			
Médico			
Peluquero			
Plomero			

PRÁCTICA: El futuro

Doña Clara Vidente, the famous fortune teller and astrologer to the stars, has issued her predictions about what will happen next year. Complete her predictions with the correct future form of the verbs in parentheses.

<u>En Hollywood</u>

1. Brad Pitt y Angelina Jolie _____ (tener) otro hijo. Angelina

   _____ (enamorarse de) otro actor. Brad _____ (estar

   deprimido) y_____ (drogarse). Pero luego Brad _____

   (cuidarse), _____(estar) mejor y _____(enamorarse de)

   otra actriz. _____ (ayudar).

2. Timbaland _____ (abrir) un banco privado en Los Angeles. Dice: "En

   nuestro banco no _____ (haber) ningún robo nunca porque

   _____ (tener - nosotros) la protección constante de The Rock y sus

   empleados. Seguramente ellos _____ (ser) jefes exigentes.

3. Lady Gaga _____ (ser) muy generosa con sus empleados este año. La

   cantante _____ (gastar) mucho dinero para que todos estén contentos. Le

   _____ (pagar) a su peluquera dinero extra para crear un estilo original

   cada dos semanas. Le _____ (prestar) su coche nuevo a su contador todos

   los viernes y _____ (construir) una casa para la familia de su cocinera.

   ¡_____ (Ganar) un dineral!

4. Yo _____ (sacar) notas altísimas en la clase de español y

   _____ (conseguir) un empleo donde _____ (estar a cargo

   de) 1.000 empleados. _____ (Ganar) un sueldo altísimo y

   _____ (jubilarse) a los 55 años.

TEMPORAL CONJUNCTIONS: Lo malo de ganar un buen sueldo

I. Read the English sentences below about Roberto, and decide if the action underlined is future or uncompleted (**F**), habitual (**H**), or past and completed (**P**). Write the letters in the first column.

<u>When I have time</u>, I'll talk to you about a loan.   _____   _____

<u>When I lent Bill money</u>, he never paid me.   _____   _____

<u>When my friends ask for money</u>, I usually say yes.   _____   _____

<u>Until my check arrives</u>, I can't help you.   _____   _____

I'll call <u>you as soon as my money is deposited</u>.   _____   _____

It's always <u>difficult when you have a well-paying job</u>.   _____   _____

<u>As soon as your friends find out</u>, they ask for loans.   _____   _____

II. Now re-read each sentence. In Spanish, would you use subjunctive or indicative in each one? Mark them "S" or "I" in the second column, and explain why.

III. Complete the sentences about Ernesto's money problems with the correct form of the verb in parentheses. Read carefully to decide between indicative or subjunctive.

1. En el pasado, cuando Ernesto (necesite/necesitaba) dinero, se lo pedía a sus padres.

2. Tenía trabajo, pero tan pronto como le (pagaban/paguen) su sueldo, él lo gastaba en fiestas, ropa, viajes y citas.

3. En abril, después de que él (pague/pagó) sus impuestos (*taxes*), tenía muy poco dinero en su cuenta corriente.

4. Ahora Ernesto es más responsable. Cada mes, en cuanto (recibe/reciba) su cheque, va al banco para depositarlo.

5. Tiene un presupuesto (*budget*) ahora. Por eso, cuando (compre/compra) algo, siempre sabe exactamente cuánto dinero hay en su cuenta corriente.

6. Antes de que él (puede/pueda) pagar sus préstamos estudiantiles, necesita ahorrar más.

7. Pero Ernesto no va a poder ahorrar (*save*) más dinero hasta que le (dan/den) un aumento de sueldo.

PRÁCTICA: Subjunctive and Indicative after Temporal Conjunctions

Complete the three passages below with subjunctive or indicative. Study the drawings and the contexts to decide whether to use subjunctive or indicative.

Cuando Roberto (1. estudiar) _____, le gusta tomar un descanso a cada rato. Esta noche, tan pronto como Estela lo (2. llamar) _____, los dos van a tomar un café. Anoche, después de que Roberto y sus amigos (3. ver) _____ una película en la tele, él estudió por tres horas más. Nunca se acuesta hasta que (4. tener) _____ toda la tarea hecha para el día siguiente.

Raúl y Alicia salen con frecuencia con sus amigos Pati y Lorenzo. Esta noche, cuando Raúl y Alicia (5. entrar) _____ al restaurante, vieron que no estaban sus amigos todavía. No pueden pedir la cena hasta que (6. llegar) _____ Pati y Lorenzo. En cuanto todos (7. estar) _____ sentados, van a pedir la cena. A todos les encanta comer, y por eso siempre van a restaurantes buenos y caros cuando (8. salir) _____ juntos. Después de que (9. terminar) _____, Raúl y Alicia quieren ir al cine, pero Pati y Lorenzo prefieren ir a bailar.

A Laura le encanta viajar, y cuando (10. tener) _____ un poco de dinero ahorrado, siempre va de viaje a un lugar nuevo. El año pasado, después de que Laura (11. regresar) _____ de su viaje a Europa, empezó otra vez a depositar dinero en su cuenta de ahorros. Cuando (12. haber) _____ dinero suficiente en esa cuenta, a Laura le gustaría hacer otro viaje. Ella espera ganar la lotería algún día. Tan pronto como ellos le (13. dar) _____ el premio (prize money), Laura piensa hacer un viaje a América del Sur. Ella quiere pasar varios meses allí, y no va a volver hasta que se le (14. acabar) _____ el dinero de la lotería.

PRÁCTICA: Cuando yo sea grande...

The drawing below shows plans children had for their futures in the 1920s and the 2000s. Write a sentence explaining each person's plans, according to the model and based on what you see in the drawing.

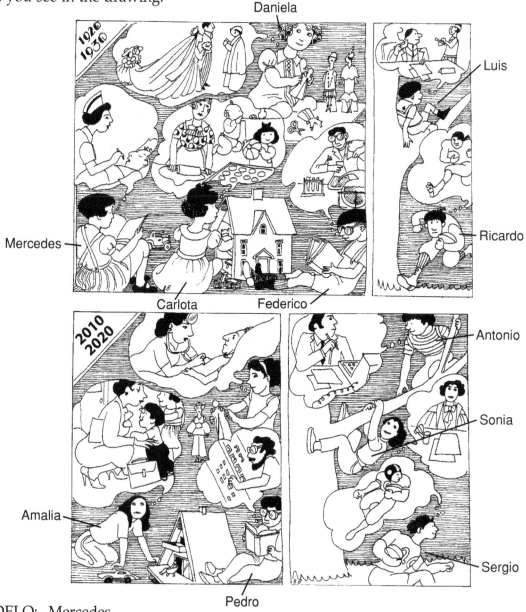

MODELO: Mercedes
   Cuando Mercedes sea grande, será enfermera y trabajará en un hospital grande.

1. Carlota

2. Federico

3. Ricardo

4. Luis

5. Daniela

6. Sergio

7. Sonia

8. Antonio

9. Pedro

10. Amalia

PRÁCTICA: Subjunctive in adjective clauses (I)

Complete the sentences with the subjunctive. Can you explain why the subjunctive is used in each case?

1. El semestre pasado tuve problemas con mi compañero de cuarto. Este semestre, busco un compañero de cuarto que _____ (ser) amable, que _____ (ayudarme) a limpiar la casa y que _____ (pagar) el alquiler (*rent*) a tiempo. Necesito a alguien que _____ (cocinar) bien y que no _____ (ver) televisión a todas horas.

2. Mi coche es muy viejo y ya no funciona muy bien. Quiero comprar un coche usado que no _____ (ser) muy caro, que _____ (tener) aire acondicionador y que _____ (andar) bien.

3. No me gusta mucho mi apartamento. Voy a buscar uno que _____ (estar) cerca de la universidad, que _____ (ser) grande y que no _____ (costar) demasiado. Me gusta la idea de vivir en un apartamento que _____ (tener) muchas ventanas y una terraza bonita.

4. El año pasado no pude ir de vacaciones. Este año, quiero ir a algún lugar donde _____ (haber) muchas playas, que _____ (ser) muy tranquilo y donde yo _____ (poder) descansar y relajarme.

5. No me gusta el novio de mi amiga Marta. En mi opinión, Marta necesita buscar un chico que _____ (ser) inteligente y amable, que _____ (saber) tratar a una mujer y que no _____ (llegar) tarde para las citas.

6. El semestre pasado mis clases fueron horribles. Este semestre, quiero tomar unas clases que _____ (ser) interesantes y que no _____ (empezar) a las ocho de la mañana. Y quiero estudiar con profesores que no _____ (dar) mucha tarea y que _____ (explicar) bien la materia.

7. Mi jefe es un imbécil y odio mi trabajo. Algún día, quiero trabajar con una persona que _____ (respetar) y que _____ (escuchar) a sus empleados. Espero trabajar en un lugar donde yo _____ (hacer) algo importante, donde _____ (ganar) un buen sueldo y donde _____ (trabajar) con gente simpática.

PRÁCTICA: Subjunctive in adjective clauses (II)

Describe your ideas about the perfect apartment, vacation spot, boyfriend/girlfriend, and job. List 3 characteristics for each thing. Remember that you're describing places and people that may not really exist, so you need to use the subjunctive.

1. <u>El apartamento ideal</u>

Quiero un apartamento / una casa que... _____

_____

_____

2. <u>Las vacaciones ideales</u>

Quiero ir a un lugar que / donde... _____

_____

_____

3. <u>El hombre perfecto / La mujer perfecta</u>

Estoy buscando a alguien que... _____

_____

_____

4. <u>El trabajo ideal</u>

Quiero un trabajo que... _____

_____

_____

PRÁCTICA: ¿Hay alguien aquí que...?

Look at the drawing below, then answer the questions about it in Spanish. Remember that whether you use the subjunctive or indicative here depends on your answer.

MODELO: Is there someone who is ordering a meal?
             Sí, **hay varias personas que piden** algo de comer en el café.

             Is there someone rollerblading in the plaza?
             No, en este momento **no hay nadie que patine en línea** en la plaza.

Is there someone who is . . .

1. playing chess? (**jugar al ajedrez**)

2. reading the paper? (**el periódico**)

3. eating in a café?

4. playing soccer?

5. taking photos?

6. going for a walk? (**dar un paseo**)

7. playing the guitar?

8. riding a bike?

9. waiting for a friend?

10. arguing?

PRÁCTICA: SUBJUNCTIVE VS. INDICATIVE

Complete each sentence with the correct form of the verb in subjunctive or indicative, according to the context.

1. --Quiero un novio que me _____ (cantar), que me _____ (escribir) poesía y que me _____ (traer) rosas todos los días.

   --Pues, mi novio no _____ (hacer) nada de eso, pero _____ (ser) cariñoso, inteligente y honesto.

2. --Quiero ir a algún lugar donde _____ (haber) música buena y gente divertida.

   --Pues, vamos al Club Caribe. Dos conjuntos excelentes _____ (ir) a tocar allí esta noche.

3. --¿Conoces a alguien que _____ (saber) bailar la macarena?

   --No, pero tengo un amigo que _____ (querer) aprenderla.

4. --Necesitamos una secretaria que _____ (hablar) francés, español, inglés y japonés. También necesitamos una que _____ (tener) mucha experiencia con la informática.

   --Uds. están locos. No existe la secretaria que _____ (poder) hacer todo eso.

   --Pues, Ud. está equivocado. Ya encontramos a una... pero ella _____ (pedir) más de $45.000 al año.

5. --Busco un apartamento que _____ (ser) bonito pero barato, porque el que tengo ahora _____ (costar) demasiado.

   --En mi barrio _____ (haber) varios apartamentos que se alquilan. Además, conozco a dos personas que _____ (buscar) a alguien para compartir una casa con ellos.

REPASO: CAPÍTULO 13

I. Vocabulario

A. Asociaciones. What words do you associate with the following professions?

PROFESIÓN	COSA	ADJETIVO	LUGAR	OTRO
plomero	inodoro	sucio	baño	más hombres que mujeres
1. entrenador				
2. biólogo				
3. sicólogo				
4. farmacéutico				
5. peluquero				
6. contador				
7. electricista				
8. periodista				
9. veterinario/a				
10. escultor				

B. Preguntas personales.

1. ¿Prefieres el empleo a tiempo completo o tiempo parcial? ¿Por qué?

2. En el trabajo, ¿cuáles son los beneficios importantes para ti?

3. ¿Has conocido a algún modelo? ¿Cómo era esa persona?

4. ¿Cuándo fue la última vez que recibiste un aumento? ¿Lo pediste?

5. ¿Cuál es peor, escribir informes o anotar datos?

II. Gramática

A. El futuro. Complete the following passage about Alicia's plans for the future.

Cuando yo sea más grande, 1._____ (ir) a la universidad y

2._____ (estudiar) para ser veterinaria, porque me gustan mucho los

animales. Allá en la universidad, 3._____ (conocer) a un chico

inteligente y simpático. Él me 4._____ (invitar) a salir, y, con el tiempo,

nosotros 5._____ (casarse). Él 6._____ (ser) dentista, y

juntos, nosotros 7._____ (abrir) una clínica, con una mitad para mis

clientes animales y la otra para sus clientes humanos. 8._____ (Tener -

nosotros) mucho éxito (*success*) y 9._____ (estar - nosotros) muy felices.

10._____ (Tener - nosotros) un hijo, una hija, un perro y un gato, todos

con dientes perfectos y de muy buena salud. 11._____ (Vivir) en una

casa amarilla e (*and*) 12._____ (ir) a la playa todos los veranos.

B. Temporal Conjunctions: En una fiesta. Read each sentence and decide if the underlined part would call for subjunctive or indicative in Spanish. Then translate the sentences.

1. When Fred gives a party, he always invites a lot of people.

2. We can't leave until I find my keys.

3. When Enrique gets here, I want to talk to him.

4. They'll run out of food before we go.

5. I'll help Fred clean after the party ends.

6. We had fun until they called the police.

7. After Paco left, Laura danced with another guy.

C. Antecedents. Decide if the underlined words in the following sentences are **existent/definite (E/D)** or **nonexistent/indefinite (N/I)**. Which sentences would need the subjunctive?

1. Is there <u>someplace</u> we can go to get away from it all?

2. I need a <u>boss</u> who won't drive me crazy.

3. Isn't there <u>anyone</u> here who can help me?

4. Hello. I'm looking for that nice <u>man</u> who handles returns.

5. Do you know that <u>house</u> down the street from mine?

6. Is there a <u>place</u> we can swim that's not crowded?

7. I'm looking for a <u>woman</u> with brown hair, named Alicia.

8. What's the name of that <u>movie</u> we saw last week?

9. She's marrying a <u>man</u> from Spain who lives in New York.

III. Diálogos

Write a dialogue based on one of the situations below. Be prepared to role-play your dialogue with a partner for the class.

1. You're in the office of an employment counselor discussing job possibilities for after graduation. With the counselor:
   • talk about your major (**especialización**) and what kind of job you'd like to have;
   • what jobs you've had in the past and why you didn't like them;
   • when you would like to begin and how much you need to earn.

2. Your company is being restructured and you're worried that you could lose your job. With your boss:
   • discuss what you've done for the company (**la empresa**) and why they need you;
   • what will happen to the company if they fired you;
   • why they should give you a raise.

3. Your parents are disgusted with your spending habits. They have threatened to cut off all financial help. Write a dialogue in which:
   • you explain to your parents what you did with the $3,000 they gave you for tuition;
   • you tell them why you need more money;
   • you say what you will do in the future to handle money more responsibly.

Information Gap Activity: Los préstamos del Banco Exterior de Miami

You and your partner are loan officers at the Banco Exterior de Miami and are reviewing the account information of clients who have asked for loans (*préstamos*). Use your chart to answer your partner's questions about the clients, and fill in the missing information in your chart by asking your partner questions. Once the charts are completed, you and your partner must decide together who gets a loan and in what amounts. Remember, you can only loan a total of $100,000 this week.

Preguntas útiles:

¿Cuánto tiene _____ en su cuenta (*account*)? ¿Para qué necesita el préstamo?

¿Cuánto ha pedido de préstamo? ¿Debemos prestarle el dinero? ¿Cuánto?

Compañero A

Cliente	Cuenta	Cantidad de préstamo	Necesita el préstamo para...	Sí/No (¿Cuánto?)
Sr. Salazar	$32.200		arreglar su casa después de un huracán	
Sra. Torres		$500.000		
Srta. de Hoyos	$1.570		pagar la matrícula (*tuition*)	
Sr. Dávila		$300.000		

Compañero B

Cliente	Cuenta	Cantidad de préstamo	Necesita el préstamo para...	Sí/No (¿Cuánto?)
Sr. Salazar		$113.000		
Sra. Torres	$117.700		abrir un restaurante	
Srta. de Hoyos		$13.400		
Sr. Dávila	$16.900		comprar un coche Ferrari	

GUIDED WRITING AND SPEAKING: Aspiraciones

A. Using the picture and your imagination, answer the following questions in complete Spanish sentences. Pay careful attention to the way the questions are phrased in order to use the correct structures in your answers.

Vocabulario: **el bombero** = fireman   **la vaquera** = cowgirl

Benito   Raquel   Miguel   Alicia

1. How well did Benito play the piano yesterday?
2. When he's grown up, what will he be?
3. What did Raquel receive for Christmas?
4. Why is it important for Raquel to have a horse?
5. Does Miguel feel like playing on the basketball team?
6. What do you recommend that Miguel tell his father?
7. Will Miguel be a famous dancer when he's older?
8. Why doesn't Alicia like to go to parties?
9. Why does her mother insist that she go to so many parties?
10. Will Alicia win the Nobel Prize for chemistry?

B. Imagine you are the school counselor. Write a letter to the parents of one of the children in the drawing. Recommend three things they should do or stop doing to improve their relationship with the child.

C. With a partner, role-play a dialogue between the parent and child in one of the four scenes of the drawing.

Communicative Goals Practice #7

Try to talk about the scene below for 75 seconds. "Show off" all you have learned up to this point in the semester. Check the **Communicative Goals** boxes at the beginning of each chapter of your Supplement to see all that you should be able to do. For this practice, some of the possible categories are listed below. Try to use connectors (**porque, pero, y, también, por eso**) to make your description sound more fluent and natural.

1. description (age, personality, physical appearance, clothing)
2. what one of them used to do before choosing his/her current profession
3. the daily routine of one of them
4. what they like and dislike about their work (what bothers, enchants, etc.)
5. what you recommend they do to do well in their work
6. what they will do with their money

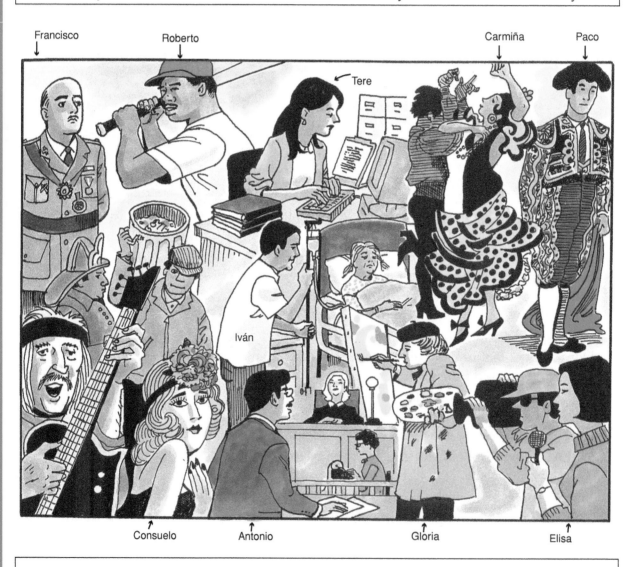

After you've finished your description, imagine you are talking to the characters in the drawing. Ask at least two questions to one or more characters.

Key Language Functions: Description, Comparison, Likes and Dislikes, Narration in the Past, Reaction and Recommendation, and Talking about the Future.

The chart below shows the linguistic tools needed to perform these six key language functions.

DESCRIBIR D	To construct a description →	Vocabulary →	Linguistic Tools Needed: • **ser** vs. **estar** • noun-adjective agreement
COMPARAR C	To construct a comparison →	Vocabulary →	Linguistic Tools Needed: • noun-adjective agreement • **más/menos...que** • **tan...como** • **tanto/as/os/as...como**
GUSTOS G	To construct a statement → of likes and dislikes	Vocabulary →	Linguistic Tools Needed: • **Gustar**-type constructions • Indirect-object pronouns
PASADO P	To construct a description → in the past or narrate a series of past events	Vocabulary →	Linguistic Tools Needed: • Preterite vs. imperfect
REACCIONAR RECOMENDAR R	To construct a reaction → or recommendation	Vocabulary →	Linguistic Tools Needed: • Subjunctive in noun clauses; commands
FUTURO F	To construct a future narration →	Vocabulary →	Linguistic Tools Needed: • Future tense; subjunctive in adverbial clauses

Take turns with a partner talking about the following topics. Remember to pay attention to the linguistic tools (the grammar rules) you need to express these key language functions accurately.

 • Describe a fascinating profession in your opinion.

 • Compare your grandparents' jobs and your parents' jobs.

 • Talk about what fascinates people about traveling.

 • Talk about the last big item you bought. Explain what it was, where you bought it, how much it cost, and why you bought it.

 • Talk about what you recommend that students do to alleviate stress during finals.

 • Explain what you will do to help your future children have successful careers (**carreras**).

CAPÍTULO
14

Communicative Goals for Chapter 14
By the end of the chapter you should be able to:

- talk about the environment ❏
- discuss cause and effect relationships ❏
- express volition, emotion and uncertainty ❏
  in the past

Grammatical Structures
You should know:

- subjunctive after conjunctions ❏
  of contingency and purpose
- imperfect subjunctive verb ❏
  forms

PRONUNCIACIÓN

After listening to your instructor pronounce the following sentences, practice them with a partner.

- Amalia no aprende nada a menos que asista a clase cada día.

- Pablo practica el piano para poder pasar tiempo con Paula.

- Carolina quiere un contrato en caso de que Carlos cambie las condiciones del convenio.

- Antes de casarse con Ana, Andrés tiene que alquilar un apartamento que sea amplio y atractivo.

- Daniel Durán dudaba que durara el desastre de la dictadura.

- Susana Sánchez sintió que el senador no supiera representar a los ciudadanos satisfactoriamente.

- Tomás Torres temía que el testigo no tomara en serio la tragedia del terremoto.

- El reportero recomendó que Rubén Ruíz regresara a Rusia rápidamente.

- Héctor Hernández hizo que Herlinda Haros invitara a su hermano a la huelga.

PRÁCTICA: Subjunctive after certain conjunctions

There are five Spanish conjunctions of contingency/purpose that always take the subjunctive. Remember them with the acronym ASPACE.

A	**antes (de) que**	*before*
S	**sin que**	*without*
P	**para que**	*so that*
A	**a menos (de) que**	*unless*
C	**con tal (de) que**	*provided (that)*
E	**en caso de que**	*in case*

The statements below describe the problems Yoli and her friends are having while giving a party. Use the given conjunction of contingency to summarize each problem. Remember to use the subjunctive.

MODELO: Si la novia de Marcos tiene que trabajar, ellos no van a la fiesta. (C)
Marcos va a ir, **con tal (de) que** su novia no trabaje.

1. Yoli tiene tiempo para limpiar la casa, pero sólo si nadie llega temprano. (C)

2. Jorge necesita comprar hielo, pero es muy olvidadizo. Yoli piensa comprar hielo. (E)

3. Luisa y Virginia se odian. Si Luisa va a la fiesta, entonces no va Virginia. (A menos de que)

4. Si sus amigas compran la comida hoy, Yoli puede preparar las botanas esta noche. (C)

5. El iPod de Yoli está roto. Por eso, su amigo Jorge lleva su iPod a la fiesta. (P)

6. Yoli hace la fiesta en la casa de los padres, pero ellos no deben saber. (S)

7. Hoy a la una vienen unos amigos para ayudar. Yoli debe estar en casa antes. (Antes de que)

8. Yoli debe llamar a todos los amigos ahora. Si no, ellos no van a saber a qué hora es la fiesta. (P)

9. Carmen va a poner la mesa sola. Yoli no la ayuda. (S)

10. Los vecinos se acuestan a la una. Si la fiesta no termina a la una, ellos van a llamar a la policía. (A menos de que)

PRÁCTICA: Subjunctive of contingency and purpose

Below are a series of drawings showing several people's plans. Use the information in each pair of drawings and the conjunctions given with them to form sentences about each person's activities. Remember to use the subjunctive with these conjunctions.

MODELO:  a menos que

Juanito y sus amigos van a jugar al baloncesto, a menos que llueva esta tarde.

1. Mercedes y Gloria   con tal de que

2. Antes de que

3. La Sra. García   para que

el Sr. Martínez

4.  a menos que  Claudio

Marta

5. Antes de

6. En caso de que no  Ana Miguel  Alberto

7.  la piscina María con tal de que

8. Antes de  Lorena

SUBJUNCTIVE, INDICATIVE, OR INFINITIVE?

Fred and Julio are deciding what movie to see tonight. Complete their conversation with the correct form of the verb (subjunctive, indicative, or infinitive) in parentheses, according to the context.

J: Oye, Fred...¿quieres acompañarme al cine esta noche?

F: Sí, claro, a menos de no 1._____ (tener - yo) mucha tarea en mi clase de español. ¿Qué película piensas ver?

J: No sé...Hay muchas posibilidades. Quiero ver una película que 2._____ (ser) diferente. Pensaba ver "Soul Surfer", la película de Bethany Hamilton que 3. _____ (acabar) de salir.

F: Lo siento, pero yo ya 4._____ (haber) visto esa película. ¿Hay otra que 5._____ (querer - tú) ver?

J: Pues, tal vez. En el cine de la universidad, dan "Predator". ¿Qué te parece?

F: Emmm...este... Pues, Julio, solo puedo ir con tal de que no 6._____ (ver - nosotros) una película de horror.

J: Ay, Fred, 7._____ (ser - tú) tan pesado (*a pain*) a veces. ¡Es increíble que 8._____ (ser - tú) tan particular (*picky*)!

F: De verdad lo lamento, pero es mejor que 9._____ (ver - nosotros) una película que nos 10._____ (gustar) a los dos, ¿verdad?

J: Sí, claro. Bueno, ¿por qué no 11._____ (decidir) tú? ¿Hay alguna película que no te 12._____ (dar) pesadillas (*nightmares*) y que ya no 13._____ (haber - tú) visto?

F: ¡Sí! Sugiero que 14._____ (ver - nosotros) "Pulp Fiction".

J: Bueno, hombre, de acuerdo. ¿A qué hora 15._____ (empezar)?

F: A las siete y media. ¿Por qué no nos encontramos en frente del cine a las siete y cuarto? Y en caso de que 16._____ (llegar - yo) primero, compro las entradas.

J: Muy bien. Pero, ¿no tienes ganas de comer algo antes de 17._____ (ir)?

F: ¡Buena idea! Pero debemos cenar temprano para no 18._____ (perder) el comienzo de la película. ¿Conoces algún restaurante bueno pero barato que 19._____ (estar) cerca del cine?

J: Sí. Bueno, en ese caso, te voy a buscar a las seis.

C. <u>El imperfecto del subjuntivo: Recuerdos de infancia</u>. Complete the passage below with the correct form of the past subjunctive, according to the subject indicated.

De niña, yo tenía miedo de que las brujas (*witches*) debajo de mi cama

1._____ (salir) alguna noche y me 2._____ (comer). Mis

padres no querían que 3._____ (ser - yo) una niña supersticiosa, y un día

me dijeron "Ana, no seas tonta. No hay brujas". Pero no podía creer que las brujas no

4._____ (existir), y por eso quería que mi madre 5._____

(venir) a mi dormitorio y que nosotros 6._____ (pasar) las noches juntas.

Mi madre no quiso hacer eso, así que les pedí a mis padres que no

7._____ (apagar) las luces de mi habitación. Mis padres dudaban que

8._____ (poder - yo) dormir con las luces encendidas. No entendían que

era imposible que 9._____ (dormir - yo), con luces o sin luces. Ellos

pensaban que era extraño que 10._____ (tener - yo) tanto miedo de algo

que no existía.

D. <u>El imperfecto del subjuntivo: Recuerdos de tu niñez y adoloscencia</u>. Answer the following questions about your younger days.

Cuando eras niño/a...
1. ¿Qué te decían tus padres que hicieras?

2. ¿De qué tenías miedo?

3. ¿Era necesario que tus padres te castigaran (*punished*) frecuentemente? ¿Por qué?

Cuando tenías 16 años...
4. ¿A qué hora querían tus padres que estuvieras en casa después de una cita?

5. ¿Tus padres permitían que usaras el coche?

6. ¿Qué tipo de coche querías que tus padres o tus abuelos te compraran?

E. <u>El fin de semana de Lupe y Concha</u>. Fill in the correct form of the verb. You will be using preterite, imperfect, and present and past subjunctive.

La semana pasada 1._____ (ir - yo) a Madrid con Lupe, mi

compañera de cuarto. Nosotras 2._____ (tomar) el tren de Sevilla que

3._____ (tardar) sólo tres horas. 4.¡_____ (Ser) fenomenal!

La primera noche 5._____ (decidir - nosotras) ir a la Plaza Mayor

porque 6._____ (querer - yo) que un artista allí 7._____

(pintar) mi retrato. Quería que el retrato 8._____ (ser) pequeño para que

mi novio lo 9._____ (poder) poner en la mesita al lado de su cama.

10._____ (Tener - yo) que estar sentada por dos horas. Cuando por fin

el artista 11._____ (terminar) y 12._____ (ver - yo) mi

retrato, no me 13._____ (gustar) para nada. La nariz

14._____ (salir) demasiado grande y el cuello 15._____

(parecer) como el de una jirafa. ¡Qué desastre! No quería que mi novio

16._____ (tener) un retrato tan grotesco a su lado.

<u>Preguntas</u>
1. ¿Dónde viven Lupe y Concha?

2. ¿Por qué decidieron ir a la Plaza Mayor?

3. ¿Por qué quería Concha un retrato pequeño?

4. ¿Por qué no le gustó el retrato?

F. <u>Situaciones</u>. The people of your city are doing great damage to the environment. Tell city council what they must do to serve the environment.

1. A menos que Uds. _____.

2. Les recomiendo que _____.

3. Es necesario que Uds. _____.

Now, from the perspective of a city council member, tell a reporter what the council members were told.

4. Nos dijo que a menos que _____.

5. Nos recomendó que _____.

6. Nos dijo que era necesario que _____.

III. **¿Qué diría Ud.?** You want to get out of doing the following things without hurting anyone's feelings. Come up with an excuse for each invitation, using **Ojalá (que)...** + past subjunctive.

- The annoying person behind you in class asks you out.

- Your roommate wants you to go to a Finnish film festival with him/her.

- Your dad wants to spend some time with you on Saturday...cleaning out the garage.

IV. **Diálogos**

Write a dialogue on one of the following topics. Be prepared to role-play your dialogue with a partner to present to the class.

1. Your new roommate Irina is not very environmentally conscious. Create a conversation between you and Irina in which:
   - you explain why it's important to protect the environment;
   - you mention two things you do to conserve energy/resources;
   - you recommend that Irina not do/stop doing something which is bad for the environment.
   Include Irina's replies to your comments and any other details.

2. You took a vacation to a tropical rain forest. Create a conversation between you and a friend in which:
   - you describe the animals you saw;
   - you tell your friend what you did;
   - you ask your friend what s/he recommends that we do to protect the tropical rain forest.
   Include your friend's replies to your comments and questions, and any other details.

BINGO: La vida social

_____ tiene cuñado/a.	_____ va a ir a una boda este sábado.	_____ tiene dos citas este fin de semana.	_____ cree que la amistad entre hombre y mujer es imposible.	_____ quiere salir con alguien de la clase de español.
A _____ le encanta ser soltero/a.	_____ va a casarse este año.	_____ va a romper con su novio/a pronto.	_____ conoce a muchas chicas solteras.	_____ está enamorado/a.
_____ nació en otro estado.	_____ sale con amigos esta noche.	_____ es amigo/a de alguien famoso.	_____ tiene problemas con los suegros.	_____ vive lejos del campus.
_____ conoce a alguien divorciado.	_____ busca un novio nuevo.	_____ se lleva mal con su compañero/a de casa.	_____ vive en una residencia.	_____ no piensa casarse nunca.
_____ conoce a muchos chicos solteros.	_____ fue al Caribe para su luna de miel.	_____ está casado/a con alguien de otro país.	_____ tiene una vida social fabulosa.	_____ se enamora con frecuencia.

GUIDED WRITING AND SPEAKING: En la playa

A. Using the picture and your imagination, answer the following questions in complete Spanish sentences. Pay careful attention to the way the questions are phrased in order to use the correct structures in your answers.

1. What do you recommend that Lola and Ernesto not do tomorrow?
2. Why is Alejo tired now, and what has he done today?
3. What does Jaime hope that the children do?
4. Where did Susana and Miguel meet each other?
5. What are they going to do, provided that they have time?
6. What does el Sr. López like to do on the beach?

B. Imagine you are on vacation on this beach. Write an e-mail to a friend in which mention some things you have done and what you plan to do provided that there's time and good weather.

C. With a partner, role-play a dialogue between any two characters in the drawing.

Round Robin: Grammar Monitor Activity

In this activity you will work in groups of three. Each partner will alternate roles until all three of you have (1) reacted to each statement; (2) made a recommendation; and (3) served as the grammar monitor.

Statements	Roles of Partners A, B, and C
1. Han construido un aparcamiento encima del único parque de mi ciudad natal (*hometown*). 2. El gobierno ha decidido imponer un impuesto (*tax*) de $2.000 en todos los coches tipo "SUV." 3. Este mes un galón de petróleo cuesta cinco dólares. 4. Ahora Sears vende máscaras contra la contaminación en colores brillantes para hacer juego con (*to go with*) tu ropa. 5. En los últimos años se ha destruido el 15% de la Amazonia.	A. React B. Recommend C. Be the monitor

Partner A: Read the statement aloud, then give your reaction using an impersonal expression such as *Es terrible que…*, *Es obvio que…*, or *Es fenomenal que…*

Partner B: Offer a suggestion or recommendation to help improve the situation.

Partner C: As the grammar monitor, your job is to write down the subjunctive verb forms that you hear. Make sure that subjunctive is not used with expressions indicating certainty such as *Es evidente que…*, *Es cierto que…*, or *Es verdad que…* When Partners A and B are finished, give them feedback on whether or not they are using the subjunctive correctly for reactions and recommedations.

Now switch roles. Partner A will recommend, Partner B will be the grammar monitor, and Partner C will react. Then switch roles one more time.

Communicative Goals Practice #8

Try to talk about the scene below for 75 seconds. "Show off" all you have learned up to this point in the semester. Check the **Communicative Goals** boxes at the beginning of each chapter of your Supplement to see all that you should be able to do. For this oral proficiency practice, some of the possible categories are listed below. Try to use connectors (**porque, pero, y, también, por eso**) to make your description sound more fluent and natural.

1. description (age, personality, physical appearance, clothing)	4. what you recommend they do to improve their quality of life
2. where these people will go after work/school	5. how they get to work/school
3. the daily routine of one of them	6. a strange or unexpected event that happened to one of them today

After you've finished your description, imagine you are talking to the characters in the drawing. Ask at least two questions to one or more characters.

Key Language Functions: Description, Comparison, Expressing Likes and Dislikes, Narration in the Past, Reaction and Recommendation.

Take turns with a partner talking about the following topics. Remember to pay attention to the linguistic tools (the grammar rules) you need to express these major language functions accurately.

- Describe how you felt when you first started driving.
- Describe your ideal job, car, or partner. (use the subjunctive)

- Compare two of your favorite actors or actresses.
- Compare environmental problems of today with those of fifty years ago.

- Talk about what you like about SUVs and what bothers some people about them.
- Talk about what bothers parents about big weddings.

- Talk about what you have done recently to help save the planet.
- Talk about something funny that happened to you or a friend while on a date.

- Offer some suggestions to help protect the environment for future generations.
- Offer advice to a couple on where to spend their honeymoon if money is not an object. Explain your reasons.

C A P Í T U L O
15

Communicative Goals for Chapter 15

By the end of the chapter you should be able to:

- talk about technology and modern life ☐
- talk about what you would do in certain situations ☐
- hypothesize ☐

Grammatical Structures

You should know:

- conditional verb forms ☐
- if clauses ☐

PRONUNCIACIÓN

Listen and repeat as your instructor reads the following sentences. Then practice with a partner.

- Paco Padilla no pudo encontrar su pasaporte porque lo había puesto en sus pantalones pardos que dejó en la pensión en Pamplona.
- Ana admitió que la asistente de vuelo anunció algo de la aduana, pero no lo escuchó.
- Tito tenía miedo de que todos los turistas tomaran el tren a Toledo en vez de ir a Tarragona.
- Héctor y Herlinda han sido huéspedes en el humilde Hotel Holanda por ocho días, pero ahora han hecho una reserva en un hotel más hermoso.

LISTENING COMPREHENSION: En casa de Miguel

Miguel and Roque live in a co-op with other students. Listen to their conversation about what everyone is doing. The first time you hear it, number the activities below in the order you hear them and match each activity with the person(s) doing it. The second time, answer the questions below.

	Actividades	Personas
_____	estar en la galería	Rosa
_____	ir al cine	Roque
_____	jugar tenis	Víctor
_____	comer algo	Sancho
_____	ir al lago para nadar	Carmen
_____	ver unos partidos	Miguel
_____	tomar el sol	Marta

1. ¿Qué quería hacer Miguel con Víctor?

2. ¿Con quién iba a jugar tenis Marta?

3. ¿Qué pasa hoy entre la casa de Miguel y el Club Latino?

4. ¿Por qué es hoy un día especial para Carmen?

LISTENING COMPREHENSION: ¿Adónde fueron y qué hicieron?

Your instructor will read some descriptions of what 6 different people did on vacation. As you listen, complete the chart below by writing the name of each person next to the place s/he visited on vacation. Then write one thing the person did in that place.

Lugar	¿Quién fue allí?	¿Qué hizo allí?

PRÁCTICA: El condicional

Complete the passages below with the correct conditional forms of the verbs in parentheses.

<u>Los sueños de Teresa</u>

      Ay, ¡cómo me 1._____ (gustar) tener un esposo guapo y rico e irnos a vivir a Tahití! 2._____ (ser) tan lindo y tranquilo, con las flores, los árboles y el aire puro. Allí no 3._____ (tener - nosotros) que sufrir de estrés. 4._____ (Poder - nosotros) respirar profundo y 5._____ (formar) una familia divina. 6._____ (Pagar las cuentas) por Internet. 7._____ (vivir) una vida sin presiones y muy altruista. Los hijos 8._____ (jugar) por las orillas del mar y 9.¡_____ (estar - nosotros) tan contentos!

<u>El viaje espacial de Rafael</u>

      A mi amigo Rafael le fascina la ciencia-ficción. Le 1._____ (encantar) poder viajar por el espacio y el tiempo. Dice que 2._____ (ir - él) a otras galaxias y 3._____ (visitar) otros planetas. Allí, 4._____ (conocer - él) a varias razas extraterrestres y les 5._____ (explicar - él) cómo somos los humanos. 6._____ (Casarse - él) con una ingeniera aeroespacial de piel verde de otro planeta. Juntos, ellos dos 7._____ (construir) una nave espacial (*spaceship*) y 8._____ (empezar) a explorar más y más sistemas solares. Imagínense... 9._____ (llegar - ellos) hasta el fin del universo, solos y enamorados.

      Yo soy tímido, y 10._____ (tener - yo) miedo de ir tan lejos. 11._____ (Preferir - yo) quedarme aquí en la tierra, pero 12._____ (extrañar (*to miss*) - yo) mucho a Rafael. Tal vez nosotros 13._____ (poder) comunicarnos por una radio espacial.

PRÁCTICA: ¿Qué harías?

Answer each of the questions based on the drawings and using your imagination.

1. Si fueras Emilia, ¿cómo te sentirías al ver a Isabel?

   ¿Podrías vivir con ella?

   ¿Qué harías si Isabel diera muchas fiestas?

2. Si fueras Isabel, ¿te gustaría vivir con Emilia?

   ¿Qué pensarías de ella?

   ¿Limpiarías el apartamento con frecuencia?

3. Si fueras Guillermo, ¿qué le dirías a Felix?

   Y si fueras Felix, ¿qué harías?

4. Si estuvieras en el avión, ¿qué les dirías a los pasajeros?

   Si no dejaran de fumar, ¿entonces qué harías?

5. ¿Qué le dirías a la chica con auriculares (*headphones*)?

   Si no pudieras estudiar en la biblioteca, ¿adónde irías?

PRÁCTICA: El condicional y el imperfecto del subjuntivo

A. Write five sentences explaining where Celia would go, how she would travel and what she would do on her dream vacation. Use the conditional and the information in the drawing.

1.

2.

3.

4.

5.

B. Complete the sentences below with a phrase using the conditional or the imperfect subjunctive, according to the context.

1. Si ganara la lotería...

2. Yo iría de viaje si...

3. Si no fuera estudiante...

4. Mis padres estarían más contentos conmigo si...

5. Si pudiera hablar con el presidente...

PRÁCTICA: Si yo fuera...

For each of the pictures, read what happened to these people in the past, and then write what you would do if it happened to you.

MODELO: Sofía no pudo comprar un suéter de lana en el mercado de artesanías, porque no tenía suficiente dinero.

               Si yo fuera al mercado, llevaría más dinero conmigo.

1. El año pasado Felipe y Victoria tomaron demasiado vino y bailaron delante de todo el mundo.

   Si yo _____

   _____ .

2. Hace dos años, Luis se perdió en Veracruz.

   Si yo _____

   _____ .

3. El verano pasado, arrestaron a Rafael en la aduana porque llevaba 5 cámaras.

   Si yo _____

   _____ .

4. Cuando fueron a Espana, los señores Smith tuvieron muchos problemas porque no hablaban español.

   Si yo _____

   _____ .

¡PROBLEMAS PERSONALES!

What would you do if you were in the following situations? Give your advice for each problem, according to the model.

Ejemplo: Voy a sacar una D en el examen final de español.
             Si fuera tú, estudiaría más y hablaría con la profesora.

1. Mi trabajo es horrible y mi jefe no me respeta.

2. No manejo bien el tiempo.

3. No sé qué hacer cuando me gradúe de la universidad.

4. No puedo pagar las cuentas de la tarjeta de crédito.

5. Mi computadora es vieja y no puedo guardar los archivos.

6. Me quiero casar pero mi novio/a dice que esperemos un poco.

7. Perdí mi currículum y tengo una entrevista en una hora.

8. Quiero hacer un viaje caro sin embargo tengo poco dinero.

9. Mi novia es vegetariana y mi madre no puede entender eso. Estoy seguro de que mi madre va a servirle carne.

10. Mi padre me dice que va a darme $100 con tal de que saque una A en español, pero recibí una nota de 85 en el último examen.

REPASO: CAPÍTULO 15

I. Vocabulario

A. <u>Asociaciones</u>. ¿Cuáles son las palaras o las personas que asocias con las siguientes palabras o expresiones?

1. los alimentos transgénicos

2. el archivo

3. el lápiz de memoria

4. la tableta

5. la matrícula

6. fallar

7. el ritmo de vida

II. Gramática

A. <u>El condicional</u>. Don't forget that irregular verbs in the future are also irregular in the conditional and are formed using the same stem.

decir	→	dir	
hacer	→	har	-ía
poder	→	podr	-ías
poner	→	pondr	-ía
querer	→	querr	-íamos
saber	→	sabr	-íais
salir	→	saldr	-ían
tener	→	tendr	
venir	→	vendr	

Complete the passage below about what Jorge would do on a trip with the correct Spanish forms of the English verbs in parentheses.

¿Adónde 1._____ (*would I go*) si tuviera mucho dinero? Pues,

2._____ (*I would take* / hacer) un viaje a América del Sur.

3._____ (*I would travel*) por barco, y 4._____ (*I would want*)

viajar con mis amigos. 5._____ (*We would leave*) de Nueva York, y durante

el viaje en barco 6._____ (*we would visit*) muchos lugares: Puerto Rico,

Caracas, Río de Janeiro y São Paolo. De Buenos Aires, 7._____ (we could) viajar hacia el interior. 8._____ (We would have) la oportunidad de esquiar en los Andes y de explorar la selva tropical del Amazonas. ¿Qué tal te parece mi viaje ideal? 9._____ (Would you want) acompañarme?

B. ¡Ojalá fuera así! What would you do if you were in the following situations? Complete each sentence.

1. Si yo estuviera en Cancún, México...

2. Si yo pudiera viajar a cualquier país...

3. Si yo visitara las ruinas de Machu-Picchu...

4. Si mis amigos y yo hiciéramos un viaje a España...

5. Si yo fuera a la Ciudad de México...

C. Sueños de un viaje a España. Complete Mónica's ideas about her dream trip to Spain with the conditional or imperfect subjunctive, according to the context.

1. Si fuera a Andalucía, _____ (tener que) visitar Sevilla y Granada.

2. Si estuviera en el norte al principio de julio, _____ (correr) con los toros en Pamplona.

3. Si _____ (tener) suficiente dinero, me quedaría en el Hotel Ritz.

4. Si _____ (viajar) a Sevilla en primavera, vería la Feria de Abril.

5. Si pudiera pasar un rato en Barcelona, _____ (ir) al Museo Picasso y al Barrio Gótico.

6. Si _____ (llegar) a Santiago de Compostela el 25 de julio, podría participar en la celebración del santo patrón de España.

BINGO: La calidad de la vida

trabaja con un/a jefe/a antipático/a.	saca muchas fotos cuando está de viaje.	toma duchas muy largas y usa toda el agua caliente.	tiene una camioneta fea y vieja.	tiene cuadros de arte moderno en su dormitorio.
gana un sueldo bajo.	tiene un teléfono celular.	escucha el radio por satélite en el coche.	necesita buscar un trabajo.	tiene muchos trofeos de golf.
comparte (shares) su dormitorio con otra persona.	escribe composiciones en la computadora.	tiene un perro.	da muchas fiestas en su casa/apartamento.	tiene empleo a tiempo parcial.
A_____ le gustar cambiar de canal constantemente.	A_____ le gusta ver videos.	A_____ le gusta navegar en Internet.	A_____ le gustaría tener un coche descapotable (convertible).	va a ser jefe/a de una compañía internacional.
cocina muy mal.	tiene un monopatín (skateboard).	manda correo electrónico cada día.	hace su tarea en la cama.	vive en la planta baja.

GUIDED WRITING AND SPEAKING: En Madrid

A. Using the picture and your imagination, answer the following questions in complete Spanish sentences. Pay careful attention to the way the questions are phrased in order to use the correct structures in your answers.

1. Why is Sr. Globón mad, and what did he tell the clerk to do?
2. Who is Estrella, and how long will she stay in the Hotel Castillo?
3. What does she probably have in her luggage?
4. Why is Sra. Rojas angry, and what did she ask her children not to do?
5. What are Sr. and Sra. Mejillo talking about?
6. What do you recommend that Marcos and Alicia see and do during their honeymoon?
7. If you were Sr. Mejillo or Sra. Mejillo, what would you do?

B. Write 100 words about what you would do and where you would go if you were vacationing in Madrid.

C. With a partner role-play a dialogue between any two characters in the drawing.

Communicative Goals Practice #9

Try to talk about the scene below for 75 seconds. "Show off" all you have learned up to this point in the semester. Check the **Communicative Goals** boxes at the beginning of each chapter of your Supplement to see all that you should be able to do. For this last practice, some of the possible categories are listed below. Try to use connectors (**porque, pero, y, también, por eso**) to make your description sound more fluent and natural.

1. description (age, personality, physical appearance)	4. what you suggest they do to avoid problems when traveling
2. where these people went for vacation and where they stayed	5. what you would do if you were Jorge or Irma
3. what they like and don't like to do on vacation	6. what they will do the next time they take a trip

After you've finished your description, imagine you are talking to the characters in the drawing. Ask at least two questions to one or more characters.

Round Robin: Grammar Monitor Activity

In this activity you will work in groups of four. Each partner will alternate roles until all four of you have (1) reacted to each statement; (2) made a recommendation; (3) said what you would do if you were that person or were in that situation; and (4) served as the grammar monitor.

Statements	Roles of Partners A, B, C, and D
1. La computadora de Ramón falló. 2. Cuando Sara pasó el semestre en España, empezó a fumar otra vez. 3. Aunque sus padres le pagaron el viaje a Costa Rica, Daniel no les mandó ni una postal, ni los llamó. 4. Un día Ana dejó su celular en un bar y al día siguiente recibió una cuenta de Sprint de $500.00.	A. React B. Recommend C. Hypothesize D. Be the monitor

Partner A: Read the statement aloud, then give your reaction using an impersonal expression such as *Es terrible que…*, *Es obvio que…*, or *Es fenomenal que…*

Partner B: Offer a suggestion or recommendation to the person in each statement.

Partner C: Hypothesize about what you would do, if you were that person or were in that situation. Use the past subjunctive and the conditional. Example: *Si yo fuera Ramón, iría a…*

Partner D: As the grammar monitor, your job is to write down the subjunctive and conditional verb forms that you hear. Make sure that subjunctive is not used with expressions indicating certainty such as *Es evidente que…*, *Es cierto que…*, or *Es verdad que…*Also remember that speakers can use the present subjunctive (*…que pierda*), the present perfect subjunctive (*…que haya perdido*), or the past subjunctive (*…que perdiera*).When Partners A, B, and C are finished, give them feedback on whether or not the are using the subjunctive correctly for reactions and recommendations, and whether they are using the past subjunctive and conditional to talk about hypothetical situations.

Now switch roles. Partner A will recommend, Partner B will hypothesize, Partner C will be the grammar monitor and Partner D will react. Then switch roles two more times.

Key Language Functions: Description, Comparison, Expressing Likes and Dislikes, Narration in the Past, Reaction and Recommendation, Talking about the Future, and Hypothesizing

The chart below shows the linguistic tools needed to perform these seven key language functions.

DESCRIBIR D	To construct a description →	Vocabulary →	Linguistic Tools Needed: • **ser** vs. **estar** • noun-adjective agreement
COMPARAR C	To construct a comparison →	Vocabulary →	Linguistic Tools Needed: • noun-adjective agreement • **más/menos...que; tan... como; tanto/as/os/as...como**
GUSTOS G	To construct a statement → of likes and dislikes	Vocabulary →	Linguistic Tools Needed: • **Gustar**-type constructions • Indirect-object pronouns
PASADO P	To construct a description → or narration in the past	Vocabulary →	Linguistic Tools Needed: • Preterite vs. imperfect
REACCIONAR RECOMENDAR R	To construct a reaction → or recommendation	Vocabulary →	Linguistic Tools Needed: • Subjunctive in noun clauses; commands
FUTURO F	To construct a future narration →	Vocabulary →	Linguistic Tools Needed: • Future tense; subjunctive in adverbial clauses
HIPOTESIS H	To construct a hypothesis →	Vocabulary →	Linguistic Tools Needed: • Conditional • Imperfect subjunctive

Take turns with a partner talking about the following topics

 • Describe the perfect attitude and mindset for a healthy life.

 • Compare two places you have worked.

 • Talk about what bothers your grandparents about modern life.

 • Describe a bad experience you had with your computer or cell phone.

 • Talk about how you recommend a working mom manage her time.

 • Talk about when you will retire and how you will spend your time.

• If you could study in any Spanish-speaking country which one would you choose?